跟 我 学 汉 语

学生用书　第三册

Learn Chinese with Me
Student's Book 3

人民教育出版社

People's Education Press

跟我学汉语

学生用书　第三册

＊

人民教育出版社出版发行

网址：http://www.pep.com.cn

北京人卫印刷厂印装　全国新华书店经销

＊

开本：889 毫米×1 194 毫米　1/16　插页：1　印张：16.5

2004 年 6 月第 1 版　2006 年 6 月第 2 次印刷

印数：7 001～12 000 册

ISBN 7 - 107 - 17719 - 2
——————————————　定价：62.00 元（附 2 张 CD）
G · 10808（课）

如发现印、装质量问题，影响阅读，请与出版科联系调换。

（联系地址：北京市海淀区中关村南大街 17 号院 1 号楼　邮编：100081）

教材项目规划小组

严美华　姜明宝　张少春

岑建君　崔邦焱　宋秋玲

赵国成　宋永波　郭　鹏

主　　编　陈绂　朱志平

编写人员　娄　毅　宋志明　朱志平

徐彩华　陈　绂

英文翻译　李长英

美术编辑　张立衍

插图制作　北京天辰文化艺术传播有限公司

责任编辑　王世友

审　　稿　王本华　吕　达

前　言

　　《跟我学汉语》是一套专为海外中学生编写的汉语教材，使用对象主要是以英语为母语的中学生或者年龄在15岁～18岁的青少年第二语言学习者。

　　《跟我学汉语》凝聚了我们这些从事并热爱汉语教学的教师们的大量心血。这套教材从框架的设计到语言材料的选取安排，都吸收了当前汉语作为第二语言习得研究、特别是对以英语为母语的汉语习得研究的最新成果。由于编写者都是把汉语作为第二语言进行教学的教师，因此能够从自己亲身进行教学的角度去设计教材，安排内容。在编写的过程中，我们也多次征求并采纳了海外中学以汉语为第二语言进行教学的一线教师的意见，这些意见给予了编写工作很好的启示。

　　《跟我学汉语》这套教材以零为起点，终点接近中级汉语水平。编写的主导思想是培养海外中学生学习汉语的兴趣。教材在内容的安排上力图做到自然、有趣，符合第二语言学习规律。教材语法点的出现顺序以表达功能的需要为基础，并用话题为线索来编排语言材料，从而带动交际能力的培养。《跟我学汉语》采用的话题得益于海外广大中学生的热情贡献。2001年编者在北美地区对两个城市的中学生进行了"你感兴趣的话题"的问卷调查，这套教材的话题即是从500多份调查材料中精心筛选出来的。我们希望，这套教材能够在不失系统性的基础上，表现出明显的功能性；在不失科学性的基础上，表现出明显的实用性；在不失严肃性的基础上，表现出明显的趣味性。

　　《跟我学汉语》全套教材共12册，包括学生用书4册以及配套的教师用书、练习册各4册，同时有与学生用书相配套的语音听力材料和多媒体教材。全套教材可供英语地区中学汉语教学9年级～12年级使用。

　　《跟我学汉语》是中国国家对外汉语教学领导小组办公室（简称国家汉办）所主持的一项重点研究项目的一部分，由北京师范大学承担。在编写这套教材的过程中，我们得到了方方面面的支持与帮助。为此，我们衷心感谢：

国家汉办严美华主任、姜明宝副主任、李桂苓女士、宋永波先生,他们的具体指导给予了教材编写最为有力的帮助;

加拿大温哥华、多伦多地区的汉语教师:Jean Heath, Kate McMeiken, Tina Du, Chong Fu Tan, Hua Tang, Larry Zehong Lei, Assunta Tan A.M., Maggie Ip, Billie Ng, Yanfeng Qu, Hilary Spicer, Tina Ding, Xue Wu, 王献恩、李建一、高锡铭、戴大器、宋乃王……,他们在教材的前期调研中提供了大量的帮助,在他们的帮助下,我们走近了北美地区,走近了我们要编写的教材;

美国芝加哥地区的汉语教师:纪瑾、车幼鸣、谢洪伟、李迪、傅海燕、顾利程,他们认真地试用了教材的初稿,并提出了宝贵的意见;

中国驻加拿大温哥华总领事馆教育参赞许琳女士、中国驻加拿大多伦多总领事馆教育参赞张国庆先生,他们以及他们的同事为教材的前期调研提供了大量帮助,为教材的编写付出了许多心血和精力,他们的热情和坦诚都令人感动;

中国驻美国芝加哥总领事馆教育组的江波、朱宏清等先生,他们为这套教材的试用与修改做了许多工作;

国家汉办原常务副主任、北京语言学院副院长程棠先生认真地审阅了全部学生用书、教师用书和练习册,并提出了中肯的意见。

在教材编写的初期和后期,国家汉办先后两次组织专家对教材的样课和定稿进行了审定,专家们提出了许多宝贵意见,我们在此一并致谢。

编　者

2004 年 3 月

Preface

Learn Chinese with Me is a series of textbooks designed especially for overseas high school students. It is mainly targeted at students of Chinese language, aged between 15 and 18 years old, whose native language is English.

Learn Chinese with Me is a product of many years' painstaking labor carried out with a passion and devotion to the cause of Chinese teaching. During the process of compiling this series (from the framework design to the selection and arrangement of the language materials), we have taken into consideration the latest research on the acquisition of Chinese as a second language, especially on the acquisition of Chinese by English-speakers, our own experiences of teaching Chinese as a second language and feedback from numerous other Chinese language teachers working on the front line. We were able to design the textbooks and arrange the content on the basis of a wide spectrum of knowledge and experience, both academic and practical.

This series of textbooks guides the students from beginner to low-intermediate level. The compiling principle is to foster high school students' interest in learning Chinese. The content is natural and interesting and arranged in accordance with the rules of learning a second language. To cope with the general needs of conducting daily communication, the sentence patterns and grammar are presented to students in an order that emphasizes functional usage and the language materials are arranged within situational topics. The selection of these topics owes a great deal to overseas high school students themselves. In 2001, we conducted a survey among high school students in two North American cities on *Topics That You're Interested in,* and the topics in this series of textbooks have been carefully selected based on this survey of over 500 questionnaires. It is our goal that this textbook series is, on the one hand, functional, pragmatic and interesting to the learner, and on the other hand, systematic, scientific and academic.

The entire series of *Learn Chinese with Me* is composed of 12 books, including 4 Student's Books, 4 Teacher's Books, 4 Workbooks and other phonetic and listening materials and multimedia materials supplemented to the Student's Books. The series can meet the needs of teaching Chinese to 9-12 grades in English-speaking countries and communities.

This series of textbooks is part of a major project sponsored by China National Office for Teaching Chinese as a Foreign Language (NOCFL), and entrusted to Beijing Normal University to carry out. During the whole compiling process, we received assistance and support from various parties. Therefore, we'd like to dedicate our gratitude to:

Yan Meihua, Director of NOCFL, Jiang Mingbao, Vice Director of NOCFL, Ms. Li Guiling and Mr. Song Yongbo. Their specific directions have been of crucial assistance to us.

We would also like to thank the teachers in Vancouver and Toronto, Canada. They are Jean Heath, Kate McMeiken, Tina Du, Chong Fu Tan, Hua Tang, Larry Zehong Lei, Assunta Tan A.M., Maggie Ip, Billie Ng, Yanfeng Qu, Hilary Spicer, Tina Ding, Xue Wu, Xian'en Wang, Jianyi Lee, Ximing Gao, Daqi Dai and Naiwang Song etc. Through their help in the area of research and their valuable suggestions, we acquired a better knowledge of the North American area and finally came closer than ever before to the kind of textbook we have always strived to create.

The teachers of Chinese in Chicago, Jin Ji, Youming Che, Hongwei Xie, Di Lee, Haiyan Fu and Licheng Gu also provided valuable suggestions after they carefully read the first draft of the textbook.

We also really appreciate the great assistance offered by Ms. Xu Lin, Educational Attaché of the General Chinese Consulate in Vancouver, Canada and Mr. Zhang Guoqing, Educational Attaché of the General Chinese Consulate in Toronto, Canada. They and their colleagues gave us lots of help during our long-time survey for this book. Their devotion, enthusiasm and sincerity for the project has deeply impressed us.

Mr. Jiang Bo and Mr. Zhu Hongqing in charge of education in General Chinese Consulate in Chicago also made many contributions to the trial use and revision of this series.

In addition, we would like to give our special thanks to Mr. Cheng Tang, the former Vice Director of the Standing Committee of NOCFL and the Vice President of Beijing Language Institute. He made many critical proposals to us based on his careful study of all the Student's Books, the Teacher's Books and the Workbooks, and offered some invaluable suggestions.

At both the beginning and late stages of compiling this textbook series, NOCFL twice organized experts to examine and evaluate the textbook sample and final draft. These experts, too, provided useful comments on the series. We are also grateful to them.

Compilers
March, 2004

A Map of China's Administrative Regions

Types of Facial Makeup in Peking Operas

    Peking opera, Chinese traditional opera, is loved by many people not only because of its attractive vocal music and acrobatic fighting but also because of its rich and fine facial make-up. The style of the makeup is based on the character's personality and characteristics. The various types of makeup in Peking opera represent different Chinese historic or legendary figures. The following facial makeup represent some well-known Chinese historic and legendary figures, who later became famous characters in Peking opera.

    Can you guess who they are? You may find out the answers by asking Chinese people around you to tell you the stories about them. You can tell these stories to your classmates.

    Work together with your classmates to try to paint some facial makeup by yourselves!

Cao Cao

Baogong

Zhong Kui

Sun Wukong

Methods and Steps of Facial Makeup

(1) Make a mask. Make a mud face model according to the shape and size of an actual person's face.

(2) Draw an opera mask. On a piece of white paper draw a mask that is of the same size and shape as the one you have made. As most Peking opera masks are symmetrical, you should first draw a vertical line down through the middle and then draw the half of the facial feature on one side. Copy the half you have drawn on to the opposite side. The next step is to add the color.

CONTENTS

Unit Three   *Two Generations*

Unit Four   *Different Cultures*

Unit Five — *Diet and Health*

Unit Six — *Transportation and Geography*

Appendix

Table of Combinations of Initials and Finals in *Putonghua*

Unit One

Meiyun's Family

1　她从香港来

Getting Started

According to the given picture try to describe what the person in the "Notice" looks like.

寻人启事
(xúnrén qǐshì)

李美云 (Lǐ Měiyún)，女，16岁。她刚刚从香港 (Xiānggǎng) 来这里，在 Eric 中学上学，是 11 年级的学生。她身高 (shēngāo) 162cm，穿红色上衣 (hóngsè shàngyī)，牛仔裤 (niúzǎikù)，耐克球鞋 (nàikè qiúxié)，背 (bēi) 蓝色书包。星期三放学以后没有回家。如果您知道她在哪里，请打电话告诉学校或她的爸爸妈妈。Eric 中学电话：836-2277；李美云家电话：957-8976。

Text 1

Jack, Ma Ming's old pal, comes to visit Ma Ming...

马明：杰克，好久 (hǎojiǔ) 不见 (jiàn) 了①！

杰克：你好，马明，好久不见！

马明：暑假过 (guò) 得 (de) 怎么样？

杰克：过得不错。你呢，最近忙不忙？

马明：很忙。我在帮 (bāng) 我的邻居搬 (bān) 家。

杰克：帮你的邻居搬家？

马明：是啊，我爸爸的朋友从香港来，现在是我们家的邻居。

杰克：那个女孩儿是谁？

Meiyun walks out of her home...

马明：她就是我邻居的女儿 (nǚ'ér)。

杰克：她长得很漂亮。

马明：她姓 (xìng) 李，叫美云。来，我给你介绍一下……

---

① 好久不见了！ Long time no see!

Text 2

Ma Ming is introducing Meiyun's family...

李先生是我爸爸的朋友。他们一家从香港来，现在是我们的邻居。李先生今年42岁，他高高的，瘦瘦的，戴着（zhe）一副眼镜（yǎnjìng）①。他的太太矮（ǎi）矮的，胖（pàng）胖的，经常笑眯眯的（xiàomīmīde）。他们的女儿叫美云，长得很漂亮，今年16岁，现在是我的同学。李先生还有个儿子（érzi）叫美华，今年9岁。他长得很可爱（kě'ài），有一张圆（yuán）圆的脸②，一双大大的眼睛（yǎnjìng）。

---

① 戴着一副眼镜 wearing a pair of glasses。
② 有一张圆圆的脸 with chubby cheeks (literal: a round face)。

New words

1. 好久	hǎojiǔ		long time
2. 见	jiàn	(v.)	to see
3. 过	guò	(v.)	to spend (time); to pass (time)
4. 得	de	(pt.)	*used to link a verb or an adjective to a complement which describes the manner or degree*
5. 帮	bāng	(v.)	to help
6. 搬	bān	(v.)	to move (house)
7. 女儿	nǚ'ér	(n.)	daughter
8. 姓	xìng	(v.)	to be surnamed
9. 着	zhe	(pt.)	*added to a verb or an adjective to indicate a continued action or state*
10. 眼镜	yǎnjìng	(n.)	glasses; spectacles
11. 矮	ǎi	(adj.)	short (of stature)
12. 胖	pàng	(adj.)	fat
13. 笑眯眯的	xiàomīmīde		smiling
14. 儿子	érzi	(n.)	son
15. 可爱	kě'ài	(adj.)	cute; lovely
16. 圆	yuán	(adj.)	round; chubby
17. 眼睛	yǎnjing	(n.)	eye

Proper nouns

李美云	Lǐ Měiyún	Li Meiyun
香港	Xiānggǎng	Hong Kong

Class Exercises

1. Conversation practice

(1) Choose a response in the bubble that can best complete each of the following conversations and then practice in pairs.

①

A：你好!

B：好久不见!

C：你吃了吗?

②

A：好久不见!

B：还好，你呢，最近忙不忙?

C：你好!

③

A：还可以。

B：不太忙!

C：再见。

(2) In pairs, practice greeting friends. Write the differences between greeting friends and greeting strangers in the table below.

和不认识的人打招呼	和老朋友打招呼
1.	1.
2.	2.
3.	3.

2. Rearrange the order

Rearrange the following words and phrases according to the texts and then write their numbers in the pheonix's tail to make a complete sentence.

(1) 马明①　他的邻居②　帮③　搬家④

(2) 暑假①　不错②　杰克③　过得④

(3) 长得①　很②　李美云③　漂亮④

3. Picture description

(1) Describe the appearance of these people.

Example：杰克高高的，瘦瘦的，喜欢运动，长得很帅（shuài, handsome）。

Jack

7

(2) In groups, describe your family members. As one student describes, the other members of the group should sketch a picture of the people they are describing.

4. Class activity

Reunion.

Three students in a group, everyone makes a card with two classmates according to examples as follows. The left side is pretend to be about you yourself and the right side is about next person. Mix your three cards with other groups. Try to ask your classmates and find out the friend according to description on the right side of the card.

你高高的吗？你戴不戴眼镜？你叫 Linda 吗？……

Example:

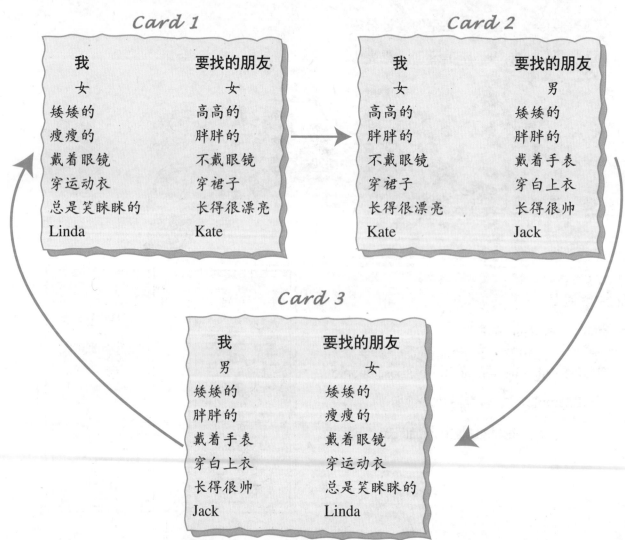

Card 1

我	要找的朋友
女	女
矮矮的	高高的
瘦瘦的	胖胖的
戴着眼镜	不戴眼镜
穿运动衣	穿裙子
总是笑眯眯的	长得很漂亮
Linda	Kate

Card 2

我	要找的朋友
女	男
高高的	矮矮的
胖胖的	胖胖的
不戴眼镜	戴着手表
穿裙子	穿白上衣
长得很漂亮	长得很帅
Kate	Jack

Card 3

我	要找的朋友
男	女
矮矮的	矮矮的
胖胖的	瘦瘦的
戴着手表	戴着眼镜
穿白上衣	穿运动衣
长得很帅	总是笑眯眯的
Jack	Linda

Idioms and Ancient Stories

按 图 索 骥
àn tú suǒ jì

Looking for a steed with the aid of
its picture (deal with or handle a
matter in a mechanical way)

Listen and Practice

1. Listening comprehension

(1) Decide whether the following statements are true or false after listening to the record.

① 王太太是我爸爸的朋友。 　　　（　　）

② 王太太和她的先生有一个女儿。（　　）

③ 王太太矮矮的，胖胖的。 　　　（　　）

④ 王太太的先生经常笑眯眯的。 （　　）

⑤ 小美的眼睛很大。 　　　　　（　　）

⑥ 王太太的女儿今年4岁。 　　　（　　）

(2) Answer the following questions after listening to the record.

Key words：

停 tíng (to park)   门口 ménkǒu (doorway)

男孩儿 nánháir (boy)   汉堡包 hànbǎobāo (hamburger)

还 huán (to return sth.)

Questions:

① 谁 把 车 停 在 商 店 门 口？
　shuí bǎ chē tíng zài shāng diàn mén kǒu

② 他 为 什 么 把 车 停 在 商 店 门 口？
　tā wèi shén me bǎ chē tíng zài shāng diàn mén kǒu

③ 他 给 了 男 孩 儿 什 么？为 什 么？
　tā gěi le nán háir 　shén me wèi shén me

9

④ 他 对 男 孩 儿 说 什 么?
　　tā dùi nán háir 　shuō shén me

⑤ 半 个 小 时 以 后 男 孩 儿 做 了 什 么?
　　bàn ge xiǎo shí yǐ hòu nán háir 　zuò le shén me

⑥ 李 先 生 吃 到 汉 堡 包 了 吗?
　　lǐ xiān sheng chī dào hàn bǎo bāo le ma

2. Read the following ancient poem.

百 川 东 到 海, 何 时 复 西 归?
bǎi chuān dōng dào hǎi hé shí fù xī guī

少 壮 不 努 力, 老 大 徒 伤 悲。
shàozhuàng bù nǔ lì lǎo dà tú shāng bēi

One hundred rivers moving east to sea, when will they ever westward turn again?
If while we're young and strong we don't strive hard, when we're grown old, no
use whining then!

我家的厨房

Getting Started

What's your home like? Describe the layout of the home according to the given pictures.

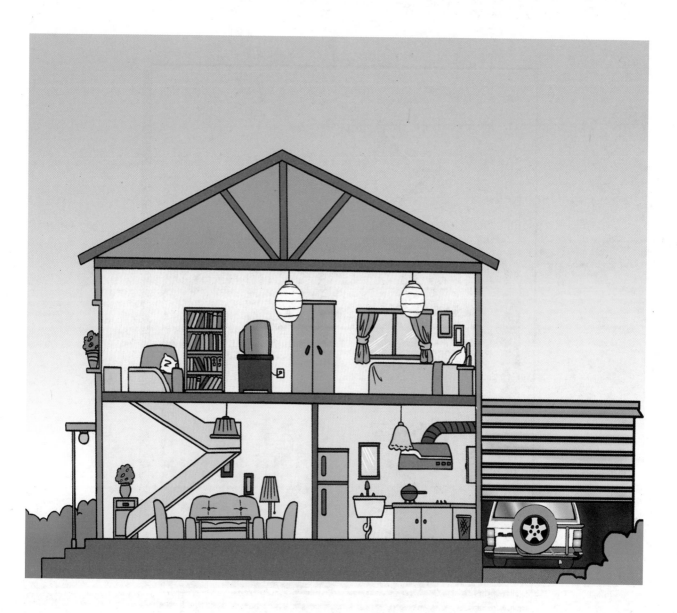

现房出租 (xiànfáng chūzū)

　　两层楼房 (liǎng céng lóufáng)，三个卧室 (wòshì) 在楼上 (lóu shang)，客厅 (kètīng) 和厨房 (chúfáng) 在楼下 (lóu xià)，院子 (yuànzi) 里有车库 (chēkù)。1800 元 / 月。如果您感兴趣，请打电话：433-8257；982-6768。

Text 1

Meihua, Meiyun's younger brother, is delivering a message to her...

美华： 姐姐，刚才有一个人来找你。

美云： 谁来找我？

美华： 他的名字我忘了。他刚 (gāng) 走①。

美云： 他长什么样？

美华： 他个子 (gèzi) 很高，穿得很整齐 (zhěngqí)，长得也很
帅 (shuài)。

美云： 哦 (ò)，他说什么？

美华： 他让 (ràng) 我告诉你，今天学校有晚会，请你去参加。

美云： 知道了。

美华： 对了，他叫杰克。他说，他可以开车来接 (jiē) 你，请
你一到家就 (yī……jiù……) 给他打电话 (dǎ diànhuà)。

美云： 好的，谢谢你！

---

① 他刚走。He just left.

Meiyun is describing her home and the daily life of her family...

　　我家的卧室（wòshì）在楼上（lóu shang），客厅（kètīng）和厨房（chúfáng）在楼下（lóu xià）。我最喜欢的地方是我家的厨房。每天早晨我们一起床就去厨房，在那儿吃早饭。爸爸喜欢一边喝咖啡，一边（yìbiān……yìbiān……）看报纸（bàozhǐ）。妈妈一边给大家准备午饭，一边听天气预报（tiānqì yùbào）。我们吃完早饭，爸爸、妈妈去上班（shàngbān），我和弟弟去上学。晚上一家人又（yòu）在厨房见面了。

New words

1. 刚	gāng	(adv.)	just
2. 个子	gèzi	(n.)	stature; height
3. 整齐	zhěngqí	(adj.)	neat
4. 帅	shuài	(adj.)	handsome
5. 哦	ò	(interj.)	*expressing realization, understanding etc.*
6. 让	ràng	(v.)	to ask; to let
7. 接	jiē	(v.)	to pick (sb.) up
8. 一……就……	yī……jiù……		no sooner than...; as soon as...; the minute...
9. 打电话	dǎ diànhuà		to call someone; to telephone
10. 卧室	wòshì	(n.)	bedroom
11. 楼上	lóu shang	(n.)	upstairs
12. 客厅	kètīng	(n.)	living room
13. 厨房	chúfáng	(n.)	kitchen
14. 楼下	lóu xià	(n.)	downstairs
15. 一边……一边……	yìbiān……yìbiān……		
		(conj.)	as... *(used to join two parallel actions)*
16. 报纸	bàozhǐ	(n.)	newspaper
17. 天气预报	tiānqì yùbào		weather forecast
18. 上班	shàngbān	(v.)	go to work
19. 又	yòu	(adv.)	again *(used for an actual action)*

Class Exercises

1. Conversation practice

(1) Make new conversations according to the given example. Practice with a partner.

A：杰克，刚才<u>王老师</u>找你。<u>他</u>刚走。

B：<u>他</u>说什么？

A：<u>他</u>让我告诉你，<u>一回来就去办公室找他</u>。

B：好的，知道了，谢谢你！

> ① 你爸爸，他，给他打电话
>
> ② 你姐姐，她，马上回家
>
> ③ Susan，她，去网球场打网球
>
> ④ 李校长，他，去图书馆

(2) In groups of 3 role play asking someone to pass on information.

2. Rearrange the order

Rearrange the following words and phrases according to the texts and write their numbers in the phoenix's tail to make a complete sentence.

(1) 找①　美云②　刚才③　有一个人④

(2) 美华①　那个人的名字②　忘记③　了④

(3) 刚①　那个人②　走③

(4) 他①　美云②　一到家③　让④　就给他打电话⑤

3. Picture description

What are the people in the pictures doing?

Try to describe each picture with the phrase "一边……一边……".

4. Make a comparison

First describe the layout of the houses in the following two pictures, then compare and contrast them.

5. Class activity

> **My Home**
>
> Make groups of three. One student describes the layout of his/her home and the other two draw a picture of the house according to the description. Compare the drawings to see which one fits the description best. Take turns describing your houses.

Idioms and Ancient Stories

黔 驴 之 技
qián lú zhī jì

Tricks of the Guizhou donkey

Listen and Practice

1. Listening comprehension

(1) Decide whether the following statements are true or false after listening to the record.

① 我家的卧室在楼下。　　　　　　（　　）

② 每天晚上我们都在客厅见面。　　（　　）

③ 爸爸喜欢一边喝茶一边大声地说话。（　　）

④ 爸爸想知道我和妹妹每天在学校干什么。（　　）

⑤ 爸爸、妈妈在客厅里，我和妹妹在厨房。（　　）

⑥ 我和妹妹常常一起在客厅看电视。（　　）

(2) Answer the following questions after listening to the record.

Key words:

跑进房间 pǎojìn fángjiān (run into the room)

把梯子推倒 bǎ tīzi tuīdǎo (push the ladder down)

把花砸坏 bǎ huā záhuài　(smash the flowers)

把鸟笼子砸坏 bǎ niǎolóngzi záhuài　(smash the birdcage)

把梯子扶好 bǎ tīzi fúhǎo　(hold the ladder)

小声 xiǎoshēng　(lower one's voice)

Questions：

① 美 华 干 了 什 么?
　měi huá gàn le shén me

② 美 华 跑 进 房 间 的 时 候, 妈 妈 在 干 什 么?
　měi huá pǎo jìn fáng jiān de shí hou mā ma zài gàn shén me

③ 妈 妈 问 了 几 个 问 题?
　mā ma wèn le jǐ ge wèn tí

④ 爸 爸 在 哪 里?
　bà ba zài nǎ li

⑤ 你 认 为 可 能 发 生 了 什 么 事?
　nǐ rèn wéi kě néng fā shēng le shén me shì

2. **Read the following tongue twister.**

路 东 住 着 刘 小 柳, 路 南 住 着 牛 小 妞。
lù dōng zhù zhe liú xiǎo liǔ lù nán zhù zhe niú xiǎo niū

刘 小 柳 和 牛 小 妞, 她 们 俩 是 好 朋 友。
liú xiǎo liǔ hé niú xiǎo niū tā men liǎ shì hǎo péng you

Liu Xiaoliu lives on the east side of the road,
Niu Xiaoniu lives on the south side of the road.
Liu Xiaoliu and Niu Xiaoniu are good pals.

3　弟弟的宠物

Getting Started

What kinds of animals do you think can be your pets?
If you keep such animals as pets, where would you keep them?

蜘蛛 (zhīzhū)

狗 (gǒu)

刺猬 (cìwei)

乌鸦 (wūyā)

画眉鸟 (huàméiniǎo)

狐狸 (húli)

老虎 (lǎohǔ)

麻雀 (máquè)

鹰 (yīng)

猫 (māo)

狮子 (shīzi)

狼 (láng)

鱼 (yú)

蛇 (shé)

寻找 (xúnzhǎo) 猫的主人 (zhǔrén)

一只黄色的小猫 (xiǎomāo)，眼睛是蓝色的，四只爪子 (zhuǎzi) 是白色的。如果您丢 (diū) 了一只这样的猫，请打下面的电话：653-8854。

Text 1

Meiyun is making a suggestion to Meihua...

美云：美华（Měihuá），我有个建议（jiànyì）。

美华：什么建议？

美云：把狗关（guān）在你的房间（fángjiān）里①，好吗？

美华：为什么？

美云：它会咬（yǎo）人。每次看见我的朋友，它都大喊大叫（dà hǎn dà jiào）。

美华：好吧。不过，我也有个建议。

美云：什么建议？

美华：把我的乌龟（wūguī）和鹦鹉（yīngwǔ）放在你的房间里，怎么样？

美云：为什么？

美华：如果狗看见乌龟和鹦鹉，它也会大喊大叫的。

---

① 把狗关在你的房间里。Keep the dog in your room.

Ma Ming drops in. Meiyun is telling him about the pets in her brother's room...

　　我弟弟非常喜欢养（yǎng）动物。他养着许多动物。如果你去他的房间，一定（yídìng）要小心（xiǎoxīn）。他的狗总是在门口（ménkǒu）站（zhàn）着。窗户的旁边站着一只（zhī）鹦鹉，一看见你，它就会问（wèn）："你是谁？"桌子下面放着一个盒子（hézi），里面（lǐmiàn）有两只乌龟。有时候，它们会出（chū）来，如果你不小心踩（cǎi）到（dào）它们，你就会摔跤（shuāijiāo）。

New words

1. 建议	jiànyì	(n.)	proposal; suggestion
2. 关	guān	(v.)	to shut
3. 房间	fángjiān	(n.)	room
4. 咬	yǎo	(v.)	to bite
5. 大喊大叫	dà hǎn dà jiào		shout at the top of one's voice
6. 乌龟	wūguī	(n.)	tortoise
7. 鹦鹉	yīngwǔ	(n.)	parrot
8. 养	yǎng	(v.)	to raise; to keep (as a pet)
9. 一定	yídìng	(adv.)	certainly; surely; definitely (here must)
10. 小心	xiǎoxīn	(v.)	to mind; to watch out; to be careful
11. 门口	ménkǒu	(n.)	doorway
12. 站	zhàn	(v.)	to stand
13. 只	zhī	(m.)	*a measure word for boats, birds, some animals, some containers, and one of certain paired things*
14. 问	wèn	(v.)	to ask
15. 盒子	hézi	(n.)	box
16. 里面	lǐmiàn	(n.)	inside
17. 出	chū	(v.)	to exit; to go/come out
18. 踩	cǎi	(v.)	to step on; to trample
19. 到	dào	(v.)	*used as a verb complement to show the result of an action*
20. 摔跤	shuāijiāo	(v.)	to tumble; to trip and fall

Proper noun

美华   Měihuá   Meihua

Class Exercises

1. Conversation practice

(1) Make new conversations according to the given example. Practice with a partner.

A：我有个建议，我们去<u>打网球</u>吧。

B：不行，我<u>不会打网球</u>。

A：那我们去<u>看电影</u>吧。

B：好主意，我们一起去。

① 吃肯德基（to have KFC），不喜欢吃肯德基，吃麦当劳

② 吃中餐，不喜欢吃中餐，吃西餐

③ 买衣服，不喜欢买东西，打网球

(2) In pairs role play discussing suggestions. One student make a suggestion to do something, the other disagrees. Then both students can negotiate and come to a solution.

2. Rearrange the order

Rearrange the following words and phrases according to the texts and then write their numbers in the phoenix's tail to make a complete sentence.

(1) 有①　美云②　个③　建议④

(2) 美华①　建议②　个③　有④　也⑤

(3) 美华的房间里①　美云②　希望③　把狗关在④

(4) 美云的房间里①　美华②　希望③　把乌龟和鹦鹉放在④

3. Role play

Read the following passage and then make a comic strip based on this story.

杰克养着很多动物。他养着一条狗、一只猫、一只鹦鹉和一只乌龟。

玛丽去杰克家玩。刚到门口，杰克的狗就大叫。到了客厅，玛丽刚要看报纸，报纸下的猫叫了。到了杰克的房间，玛丽刚把门打开，一只乌龟从门后爬 (pá, crawl) 出来了，房间里鹦鹉大叫："你是谁？"

玛丽很生气，她马上回家了。

4. Class activity

Matching Animal Cards

The whole class recalls the names of the animals they have learned in Chinese and then write down these names and their *Pinyin* on the blackboard. Four to six people in a group make two sets of cards, one in Chinese characters and the other in *Pinyin*. Mix the cards with their faces down. Pick up two cards each time and turn them over to see if the characters match the *Pinyin*. If they don't, turn them back again, and the other student begins his / her turn. If the characters match the *Pinyin*, the person who turns them over wins the two cards. The one who has the most cards wins the game. At the beginning, the students may turn over the cards randomly, later they should try to remember the cards they have turned over.

Idioms and Ancient Stories

吃　不　到　葡　萄　说　葡　萄　酸
chī　bú　dào　pú　táo　shuō　pú　táo　suān

Those who cannot have the grapes say the grapes are sour.

Listen and Practice

1. Listening comprehension

(1) Decide whether the following statements are true or false after listening to the record.

　① 我的朋友养的动物不多。　　（　　）

　② 桌子上是猫睡觉的地方。　　（　　）

　③ 狗在椅子上休息。　　　　　（　　）

　④ 鹦鹉站在窗户的旁边。　　　（　　）

　⑤ 乌龟在椅子下面。　　　　　（　　）

　⑥ 我的朋友有八只猫。　　　　（　　）

(2) Answer the following questions after listening to the record.

Key words:

古时候 gǔ shíhou (ancient times)

诸葛瑾 Zhūgě Jǐn (Zhuge Jin)

笑话 xiàohua (joke; to laugh at)

脸像驴脸一样长 liǎn xiàng lǘliǎn yíyàng cháng (a face as long as a donkey's)

皇帝的宴会 huángdì de yànhuì (emperor's banquet)

喝醉 hēzuì (be drunk)

贴一张纸 tiē yì zhāng zhǐ (paste a piece of paper)

Questions:

① 为 什 么 诸 葛 瑾 的 朋 友 笑 话 他?
wèi shén me zhū gě jǐn de péng you xiào hua tā

② 别 人 为 什 么 在 驴 的 脸 上 贴 一 张 纸?
bié rén wèi shén me zài lǘ de liǎn shang tiē yì zhāng zhǐ

③ 为 什 么 大 家 看 了 这 张 纸 都 笑?
wèi shén me dà jiā kàn le zhè zhāng zhǐ dōu xiào

④ 他 的 儿 子 对 皇 帝 说 了 什 么?
tā de ér zi duì huáng dì shuō le shén me

⑤ 为 什 么 皇 帝 把 驴 送 给 诸 葛 瑾 的 儿 子?
wèi shén me huáng dì bǎ lǘ sòng gěi zhū gě jǐn de ér zi

2. Read the following children's song.

树 姥 姥 ，最 爱 鸟 ，一 群 一 群 飞 来 了 。
shù lǎo lao zuì ài niǎo yì qún yì qún fēi lái liǎo

什 么 鸟 ，布 谷 鸟 ，千 家 万 户 把 春 报 。
shén me niǎo bù gǔ niǎo qiān jiā wàn hù bǎ chūn bào

什 么 鸟 ，百 灵 鸟 ，唱 红 杏 花 唱 红 桃 。
shén me niǎo bǎi líng niǎo chàng hóng xìng huā chàng hóng táo

什 么 鸟 ，猫 头 鹰 ，捉 只 田 鼠 吃 个 饱 。
shén me niǎo māo tóu yīng zhuō zhǐ tián shǔ chī ge bǎo

树 姥 姥 ，最 爱 鸟 ，一 群 一 群 怀 里 抱 。
shù lǎo lao zuì ài niǎo yì qún yì qún huái li bào

The old granny tree loves birds most. She's happy to see them come over in groups. What type of bird? Cuckoos, telling everyone spring comes. What type of bird? Larks, bringing about the blossoms of apricots and peaches. What type of bird? Owls, stuffing their stomachs with rats. The old granny tree loves birds most, holding them in an embrace.

Text

Meiyun is writing to one of her friends in Hong Kong...

亲爱的①小梅 (Xiǎoméi)：你好！

我们家搬到这里已经两个月了。这里的夏天跟香港一样热，不过热的时间没有香港长，秋天也比香港凉快多了。这个城市 (chéngshì) 跟香港很不一样。城市比香港小，人口 (rénkǒu) 没有香港的多。在香港，一出门 (chūmén) 就能看见商店；在这里，大家都去超市 (chāoshì) 买东西。在香港，马路 (mǎlù) 两边 (biān) 有很多卖早餐 (zǎocān) 的小吃店 (xiǎochīdiàn)；早晨上学的时候，我们常常在那里吃早餐，每次我都吃得很饱。可是这里的人都在家里吃早餐。现在我已经习惯 (xíguàn) 在家里吃早餐了。

香港的马路边挂 (guà) 着许多广告 (guǎnggào)，这里的马路边没有那么 (nàme) 多广告，不过停 (tíng) 着很多车。现在，我们家有了自己的院子 (yuànzi)，每个星期天我和弟弟都把院子打扫得干干净净。

请向我们的朋友问好②！

祝你万事如意③！

你的好朋友：李美云

---

① 亲爱的……dear。

② 向……问好 say hello to...

③ 祝你万事如意！Wish you all the best!

New words

1. 城市	chéngshì	(n.)	city
2. 人口	rénkǒu	(n.)	population
3. 出门	chūmén	(v.)	to go out
4. 超市	chāoshì	(n.)	supermarket
5. 马路	mǎlù	(n.)	road; street
6. 边	biān	(n.)	side
7. 早餐	zǎocān	(n.)	breakfast
8. 小吃店	xiǎochīdiàn	(n.)	snack bar
9. 习惯	xíguàn	(v.)	to be accustomed to
10. 挂	guà	(v.)	to hang
11. 广告	guǎnggào	(n.)	advertisement
12. 那么	nàme	(adv.)	so; like that; in that way
13. 停 (车)	tíng (chē)	(v.)	to park
14. 院子	yuànzi	(n.)	courtyard

Proper noun

小梅	Xiǎoméi	Xiaomei

30

Class Exercises

1. Matching

Match the left and right columns to form 5 sentences based on the text.

(1) 这里的秋天比香港   每天打扫院子。

(2) 在这里，一出门   在小吃店里吃早餐。

(3) 在香港，大家都   凉快多了。

(4) 香港的马路上   就能看见商店。

(5) 李美云和弟弟   有很多广告。

2. Rearrange the order

Rearrange the following words and phrases according to the texts and then write their numbers in the phoenix's tail to make a complete sentence.

(1) 一样①　跟②　香港③　热④　这里的夏天⑤

(2) 没有①　长②　这里热的时间③　香港④

(3) 多①　这里的人口②　比③　香港④

(4) 那么多广告①　香港②　没有③　这里的马路边④

3. Word classification

Classify the following words into 4 categories.

(1) 鹦鹉   (2) 厨房   (3) 狗   (4) 脸   (5) 报纸   (6) 乌龟

(7) 眼睛   (8) 客厅   (9) 电视   (10) 眼镜   (11) 猫   (12) 盒子

| Animals _____ | Rooms _____ |
| Human organs _____ | Objects _____ |

4. Give your own answers to the following questions.

(1) 你们这里的天气怎么样？跟香港比，什么地方一样，什么地方不一样？

(2) 你在哪儿吃早餐？在家里还是在小吃店？早餐你喜欢吃什么？

(3) 你喜欢去商店买东西还是去超市买东西？

(4) 你打扫你们家的院子吗？

5. Class activity

Two Cities

Compare the pictures of the two cities to find the similarities and differences between them.

Listen and Practice

Read and sing

阿 里 山 的 姑 娘[1]
ā lǐ shān de gū niang

高 山 青, 涧 水 蓝,
gāo shān qīng jiàn shuǐ lán

阿 里 山 的 姑 娘 美 如 水,
ā lǐ shān de gū niang měi rú shuǐ

阿 里 山 的 少 年[2] 壮 如 山。
ā lǐ shān de shào nián zhuàng rú shān

阿 里 山 的 姑 娘 美 如 水,
ā lǐ shān de gū niang měi rú shuǐ

阿 里 山 的 少 年 壮 如 山。
ā lǐ shān de shào nián zhuàng rú shān

高 山 长 青, 涧 水 长 蓝,
gāo shān cháng qīng jiàn shuǐ cháng lán

姑 娘 和 那 少 年 永 不 分,
gū niang hé nà shào nián yǒng bù fēn

碧 水 长 围 着 青 山 转。
bì shuǐ cháng wéi zhe qīng shān zhuàn

Lasses of Mount Ali

Green mountains, blue waters.

The lasses of Mount Ali are as beautiful as the waters.

The lads of Mount Ali are as strong as the mountains.

The lasses of Mount Ali are as beautiful as the waters.

The lads of Mount Ali are as strong as the mountains.

The mountains will always be green and the waters blue.

The lass and the lad will never be apart.

Just like the blue water is always flowing around the green mountain.

① The word 姑娘 is more informal than 女孩子 , it may be translated as "Lass".

② The word 少年 is more informal than 男孩子 , it may be translated as "Lad".

阿里山的姑娘

佚 名词曲

青　山　转。　　　嘿!

转。

Reading

1. 按图索骥

古时候有一本书，叫《相马经》(Xiàngmǎjīng, *How to Judge a Horse*)。这本书告诉人们什么马好，什么马不好。有一个人读了这本书，就出去找马。他找回来一只蛤蟆 (háma, toad)，说这是最好的马。别人笑话他，可是他说，书上说"额头高，两只眼睛又大又圆，蹄子大" (étóu gāo, liǎng zhī yǎnjing yòu dà yòu yuán, tízi dà, with a high forehead, two big round eyes and four big hoofs)，我找到的就是这种马啊!

2. 黔驴之技

以前有一个地方叫"黔" (qián, Guizhou)，那里没有驴 (lú, donkey)。有人把一头驴运到那里，放在山下。老虎 (lǎohǔ, tiger) 看见驴又高又大，很害怕 (hàipà, to be scared)。有一天，老虎听到驴的叫声，更害怕了。可是过了几天，老虎习惯了。它走到驴的身边碰 (pèng, touch) 碰驴。驴生气了，用蹄子 (tízi, hoof) 踢 (tī, kick) 老虎。老虎很高兴，它明白了，驴只会用蹄子踢，所以它就把驴吃了。

Writing

Suppose you found a dog, write a notice to find the dog's owner according to the example on P21.

Unit Language Practice

Two Families

Make groups of 4-6 students. Conduct a survey about 2 of the students' families including the appearance and hobbies of each of the family members, their habits and daily routines and the layout of their homes and the pets they keep. Then compare the similarities and differences between the two families.

"两个家庭"调查表

A Survey of Two Families

	Family 1	Family 2
address		
family members		
family member's appearance		
family member's hobbies		
house layout		
pets		
habits and daily schedules		
survey conductor		
survey time		

UNIT SUMMARY

FUNCTIONAL USAGE

1. Old friends greeting each other

好 久 不 见!
hǎo jiǔ bú jiàn

2. Describing appearances

他 高 高 的， 瘦 瘦 的，戴
tā gāo gāo de shòu shòu de dài

着 一 副 眼 镜。
zhe yí fù yǎn jìng

3. Passing on information

他 让 我 告 诉 你……
tā ràng wǒ gào su nǐ

4. Describing the layout of the home

卧 室 在 楼 上，
wò shì zài lóu shang

客 厅 在 楼 下。
kè tīng zài lóu xià

5. Offering suggestions

我 有 个 建 议……
wǒ yǒu ge jiàn yì

GRAMMAR FOCUS

Sentence pattern   *Example*

1. 他 有 一 张 圆 圆 的 脸，一 双 大 大 的 眼 睛。
   tā yǒu yì zhāng yuán yuán de liǎn yì shuāng dà dà de yǎn jing

2. 她 长 得 很 漂 亮。
   tā zhǎng de hěn piào liang

3. 刚
   gāng
              他 刚 走。
              tā gāng zǒu

4. 一……就……
   yī jiù
              请 你 一 到 家 就 给 我 打 电 话。
              qǐng nǐ yí dào jiā jiù gěi wǒ dǎ diàn huà

5. 一 边……一 边……
   yì biān yì biān
              他 一 边 喝 咖 啡，一 边 看 报 纸。
              tā yì biān hē kā fēi yì biān kàn bào zhǐ

6. 会……
   huì
              它 会 大 喊 大 叫 的。
              tā huì dà hǎn dà jiào de

7. 着
   zhe
              弟 弟 养 着 很 多 宠 物。
              dì di yǎng zhe hěn duō chǒng wù

8. 没 有……
   méi yǒu
              这 个 城 市 的 人 口 没 有 香 港 多。
              zhè ge chéng shì de rén kǒu méi yǒu xiāng gǎng duō

CHINESE CHARACTERS REVIEW

汉字 Chinese character		拼音 *Pinyin*	词语组合 Language composition
帮	邦 巾	bāng	帮助　帮忙
搬	扌 般	bān	搬家　搬东西
跟	足 艮	gēn	跟从
整	敕 正	zhěng	整理　整齐
接	扌 妾	jiē	接待　接受　接收
话	讠 舌	huà	说话　会话
室	宀 至	shì	教室　办公室
楼	木 娄	lóu	楼房　楼上　楼梯
厅	厂 丁	tīng	客厅　餐厅
预	予 页	yù	预备　预习
议	讠 义	yì	会议　议论　商议
餐	飠 食	cān	餐厅　中餐　西餐
停	亻 亭	tíng	停止　停住　停车

Unit Two

Leisure Time

5   我也想到中国去

Getting Started

Can you complete the following form in Chinese?

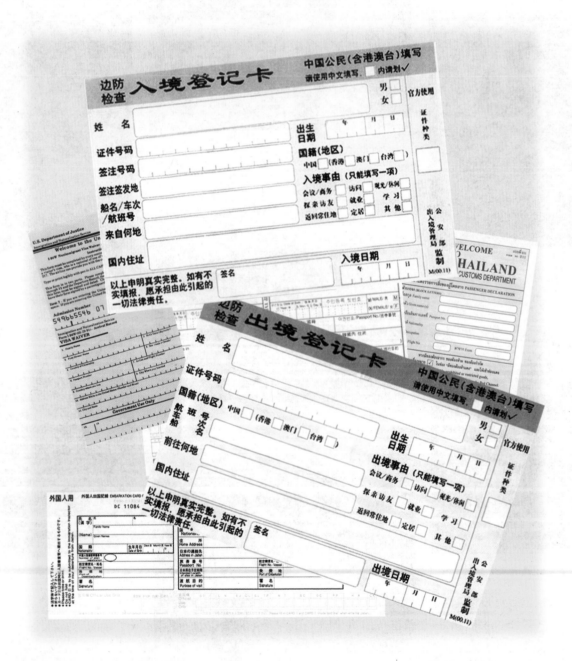

42

Text 1

David is calling Jack.

大卫： 你好，请问，杰克在不在？

杰克： 我就是杰克。你是谁呀 (ya)？

大卫： 我是大卫。你还记得 (jìde) 我吗？

杰克： 哦，当然。好久没 (méi) 听到你的消息 (xiāoxi) 了。你到哪儿去 (dào……qù) 了？

大卫： 我到中国去了，上个星期^①刚回来。

杰克： 是吗，你去了哪些 (nǎxiē) 地方？

大卫： 我去了北京 (Běijīng)、西安 (Xī'ān)、上海、苏州、杭州……

杰克： 啊，你去了那么多地方！ 你拍照片了吗？

大卫： 当然了，我拍了很多照片。我还要送给你一件礼物呢。

杰克： 太好了，谢谢你。

---

① 上个星期 last week。

43

Text 2

Jack is telling Ma Ming about ...

前天 (qiántiān) 大卫来我家，他进 (jìn) 来的时候，我差点儿 (chàdiǎnr) 不认识他了。我们已经 (yǐjing) 一年没有见面了。他现在长得很高，也瘦了许多。去年他到中国去了，他在北京学习了一年呢。现在他说汉语说得非常好^①。这一年，大卫还参观 (cānguān) 了许多 (xǔduō) 地方。他去西安参观了秦始皇兵马俑 (Qínshǐhuáng bīngmǎyǒng)。他说黄果树瀑布 (Huángguǒshù pùbù) 也很漂亮，不过没有尼亚加拉瀑布 (Níyàjiālā pùbù) 那么大。他还从中国给我带 (dài) 来一个礼物呢。我很羡慕 (xiànmù) 他，我也想 (xiǎng) 到中国去。

---

① 他说汉语说得非常好。He speaks Chinese very well.

44

New words

1. 呀	ya	(interj.)	*used in place of* 啊 *when the preceding word ends in sound* a, e, i, o *or* ü
2. 记得	jìde	(v.)	to remember
3. 没	méi	(adv.)	have not; do not
4. 消息	xiāoxi	(n.)	news
5. 到……去	dào……qù		to go to ...
6. 哪些	nǎxiē	(pron.)	which (ones); who; what
7. 前天	qiántiān	(n.)	the day before yesterday
8. 进	jìn	(v.)	to enter
9. 差点儿	chàdiǎnr		almost
10. 已经	yǐjing	(adv.)	already (*here indicating a perfect aspect*)
11. 参观	cānguān	(v.)	to visit
12. 许多	xǔduō	(adj.)	a lot; a great deal
13. 瀑布	pùbù	(n.)	waterfall
14. 带	dài	(v.)	to bring
15. 羡慕	xiànmù	(v.)	to envy; to admire
16. 想	xiǎng	(v.)	to want

Proper nouns

1. 北京	Běijīng	Beijing
2. 西安	Xī'ān	Xi'an
3. 秦始皇兵马俑	Qínshǐhuáng bīngmǎyǒng	terracotta warriors and horses in the tomb of Emperor Qinshihuang
4. 黄果树瀑布	Huángguǒshù pùbù	the Huangguoshu Waterfall
5. 尼亚加拉瀑布	Níyàjiālā pùbù	Niagara Falls

Class Exercises

1. Conversation practice

(1) Make new conversations according to the given example. Practice with a partner.

A：最近有 大卫 的消息吗？

B：好久没听到 他 的消息了。听说 他 到 中国 去了。

A：是吗？太好了，我也想到 中国 去。

① Linda，她，法国

② Sam，他，日本

③ 王老师，他，香港

(2) In pairs practice asking about your other friends.

2. Matching

Match the left and right columns to form 4 sentences.

(1) 大卫到中国 　　　　　　　　　来参观。

(2) 大卫和杰克已经一年 　　　　　来了一个礼物。

(3) 很多中国学生到我们学校 　　　去了。

(4) 大卫从中国给杰克带 　　　　　没有见面了。

3. Picture description

Try to describe where they have been and what gifts they have brought back according to the given pictures.

大卫去年到北京去了。他带来了很多明信片。　　　　Linda _____

Sam _____   王老师 _____

4. Class activity

Which places have you been to as a tourist? Show your classmates the pictures you took in those places and tell them the similarities and differences between these places.

Idioms and Ancient Stories

名 落 孙 山
míng luò sūn shān

Fall behind Sun Shan

(Fail in a competitive examination)

Listen and Practice

1. Listening comprehension

(1) Decide whether the following statements are true or false after listening to the record.

Key words：

王小雨	Wang Xiaoyu	云南	Yunnan
西双版纳	Xishuangbanna	泼水节	the Water-Splashing Festival
大理	Dali		

True or false:

① 王小雨是杰克以前的同学。　　　　　　（　　）

② 杰克不认识王小雨。　　　　　　　　　（　　）

③ 王小雨以前又高又瘦。　　　　　　　　（　　）

④ 王小雨去大理参加了泼水节。　　　　　（　　）

⑤ 西双版纳 (Xīshuāngbǎnnà) 比大理 (Dàlǐ) 大。　（　　）

⑥ 王小雨在中国住了一年。　　　　　　　（　　）

(2) Answer the following questions after listening to the record.

Key words：

地理课 dìlǐ kè (geography)　　　　　　问题 wèntí (question)

世界 shìjiè (world)　　　　　　　　　山 shān (mountain)

二郎山 Èrláng Shān (Erlang Mountain)　奇怪 qíguài (strange)

唱一支歌 chàng yì zhī gē (sing a song)　歌词 gēcí (lyrics)

一丈等于 3 米 yì zhàng děngyú sān mǐ (one *zhang* equals to 3 meters)

万丈就等于 30,000 米 wàn zhàng jiù děngyú sān wàn mǐ

(then 10,000 *zhang* is 30,000 meters)

第一高峰珠穆朗玛峰 dìyī gāofēng Zhūmùlǎngmǎ Fēng

(the world's highest mountain, Mt. Everest)

Questions:

① 老 师 问 了 什 么 问 题?
　 lǎo shi wèn le shén me wèn tí

② 美 华 为 什 么 认 为 二 郎 山 是 最 高 的 山?
　 měi huá wèi shén me rèn wéi èr láng shān shì zuì gāo de shān

③ 你 听 说 过 二 郎 山 吗?
　 nǐ tīng shuō guo èr láng shān ma

④ 老 师 是 不 是 讲 错 了? 为 什 么?
　 lǎo shī shì bu shì jiǎng cuò le wèi shén me

⑤ 你 认 为 美 华 说 得 对 不 对? 为 什 么?
　 nǐ rèn wéi měi huá shuō de duì bu duì wèi shén me

2. Read the following ancient poem.

去 年 今 日 此 门 中,
qù nián jīn rì cǐ mén zhōng

人 面 桃 花 相 映 红。
rén miàn táo huā xiāng yìng hóng

人 面 不 知 何 处 去,
rén miàn bù zhī hé chù qù

桃 花 依 旧 笑 春 风。
táo huā yī jiù xiào chūn fēng

Within this door and on this day last year,

Peach flowers and fair face both shone pink right here.

Though no one knows where fair face is today,

Peach flowers in spring wind still smile in the same way.

我喜欢京剧的脸谱

Getting Started

Let's learn a little about the following types of facial makeup in Peking opera and the stories in which they appear.

中国京剧院演出

(Performance by China Opera House)

《空城计》

(The Stratagem of the Empty City)

诸葛亮 Zhuge Liang ——由……扮演
(played by ...)

司马懿 Sima Yi ——由……扮演
(played by ...)

时间 (Time)：
星期一、三、五晚上7:30
(7:30 p.m., Monday, Wednesday, Friday)

票价 (Ticket Price)：
20—80元 (￥20—80)

Text 1

Jack and Meiyun are in front of a theatre; Ma Ming is coming out of the ticket office ...

美云： 马明，你买到票了吗？

马明： 只买到了两张票。看京剧 (jīngjù) 的人太多了。

美云： 那怎么办 (zěnme bàn)？

杰克： 马明，你和美云先进去，我在这儿等退票 (tuìpiào)。

美云： 没有退票怎么办？

杰克： 不会的①。虽然售票处 (shòupiàochù) 没有票了，但是 (suīrán……dànshì……) 一定会有人来退票。

马明： 好吧②，我们进去等你，你一买到票就进来。

杰克： 放心 (fàngxīn) 进去吧，一会儿 (yíhuìr) 见 (jiàn)。

---

① 不会的 be unlikely; will not (act, happen, etc.)。

② 好吧。Ok; all right.

Text 2

Ma Ming's diary — talking about Peking opera.

前天，我和杰克、美云一起 (yìqǐ) 看了一场 (chǎng) 京剧。看京剧的年轻人 (niánqīng rén) 不多，中学生更 (gèng) 少。我想他们跟我一样，看不懂 (dǒng)。不过 (búguò)，听说 (tīngshuō) 现在喜欢京剧的年轻人越来越 (yuèláiyuè) 多了。虽然我看不懂京剧，但是我喜欢看各种各样 (gè zhǒng gè yàng) 的脸谱 (liǎnpǔ) 和武打 (wǔdǎ)，也喜欢听京剧的音乐。

New words

1. 京剧	jīngjù	(n.)	Peking opera
2. 怎么办	zěnme bàn		how (to do)
3. 退票	tuìpiào		returned ticket
4. 虽然……但是……	suīrán……dànshì……	(conj.)	although; but
5. 售票处	shòupiàochù	(n.)	ticket office
6. 放心	fàngxīn	(v.)	set one's mind at rest; rest assured
7. 一会儿	yíhuìr		a little while (later); in a minute
8. 见	jiàn	(v.)	to meet
9. 一起	yìqǐ	(adv.)	together
10. 场	chǎng	(m.)	*a measure word for recreational or sports activities*
11. 年轻人	niánqīng rén	(n.)	young people
12. 更	gèng	(adv.)	even; more; still more
13. 懂	dǒng	(v.)	to understand
14. 不过	búguò	(conj.)	but; however
15. 听说	tīngshuō		(I) heard (that)
16. 越来越	yuèláiyuè		more and more
17. 各种各样	gè zhǒng gè yàng		various; all kinds of
18. 脸谱	liǎnpǔ	(n.)	types of facial makeup in Peking operas
19. 武打	wǔdǎ	(n.)	acrobatic fighting in Chinese opera or dance

54

Class Exercises

1. Conversation practice

(1) Number the following pictures, and read the story in the pictures. Practice with partners.

A   B   C

The correct order is (1) pic. _____, (2) pic. _____, (3) pic. _____.

(2) In groups of four perform a small drama. You have all arranged to go somewhere but one person is late.

2. Matching

Match the left and right columns according to the text.

(1) 虽然售票处没有票了　　　　　　　就进电影院。

(2) 杰克一买到票　　　　　　　　　　越来越多了。

(3) 虽然马明看不懂京剧　　　　　　　但是一定会有人来退票。

(4) 现在喜欢京剧的年轻人　　　　　　但是他喜欢京剧的脸谱。

3. Choose one word from "去" "来" to form a correct sentence according to the given pictures.

电影快开始了，同学们进 _____ 了。　　　电影结束了，大家从电影院里出 _____ 了。

我能进 ＿＿＿ 吗?　　　　　　　　　我能出 ＿＿＿ 玩吗?

4. Class activity

(1) Find out if any of your classmates have seen Peking operas. How many have seen? How many have listened to western musicals? Listen to a piece of Peking opera and then discuss the similarities and differences between Peking operas and western musicals.

(2) Discuss the differences in the types of entertainment that you prefer to the types your parents like.

Idioms and Ancient Stories

画 龙 点 睛
huà lóng diǎn jīng
Bring a picture of a dragon to life by putting in the pupils of its eyes (add the finishing touch).

Listen and Practice

1. Listening comprehension

(1) Decide whether the following statements are true or false after listening to the record.

① 杰克和美云一起去看京剧。 　　　　　　　　　(　　)

② 现在喜欢京剧的年轻人不多，因为他们看不懂。 (　　)

③ 他们去晚了，没有买到票，所以他们没有看京剧。 (　　)

④ 年轻人喜欢看京剧的脸谱、武打，还有音乐。 　(　　)

(2) Answer the following questions after listening to the record.

Key words：

商店 shāngdiàn (shop)

笔记本 bǐjìběn (notebook)

一张纸 yì zhāng zhǐ (a piece of paper)

什么也不买 shénme yě bù mǎi (not intend to buy anything)

完成作业 wánchéng zuòyè (to finish the homework)

售货员 shòuhuòyuán (shop assistant)

找 (钱) zhǎo (qián) (to give change)

还 huán (to return)

57

Questions：

① 美 华 在 什 么 地 方?
　 měi huá zài shén me dì fang

② 美 华 要 买 的 东 西 是 什 么?
　 měi huá yào mǎi de dōng xi shì shén me

③ 美 华 要 买 的 东 西 一 共 多 少 钱?
　 měi huá yào mǎi de dōng xi yí gòng duō shao qián

④ 美 华 要 给 售 货 员 多 少 钱?
　 měi huá yào gěi shòu huò yuán duō shao qián

⑤ 美 华 最 后 买 了 什 么? 为 什 么?
　 měi huá zuì hòu mǎi le shén me wèi shén me

2. Read the following tongue twister.

白 石 塔, 白 石 搭。
bái shí tǎ bái shí dā

白 石 搭 白 塔, 白 塔 白 石 搭。
bái shí dā bái tǎ bái tǎ bái shí dā

搭 好 白 石 塔, 石 塔 白 又 大。
dā hǎo bái shí tǎ shí tǎ bái yòu dà

White stone tower built with white stones.

White stones make the white tower; the white tower is made with white stones.

The big white stone tower is well made with big white stones.

昨晚我只睡了4个小时

Getting Started

What type of movies do you like to watch? (add more kinds of movies to this list)

Text 1

Ma Ming is bending over the desk, sleeping. Meiyun is asking why ...

美云： 马明，别睡 (shuì) 了，就要上课了。

马明： 对不起，我太困 (kùn) 了，昨天 (zuótiān) 晚上我只睡了 4 个小时 (xiǎoshí)。

美云： 你睡得太少 (shǎo) 了。昨天晚上你干什么了？

马明： 我写 (xiě) 作文 (zuòwén) 写了 3 个小时，然后又看了两个小时电视。

美云： 什么电视？

马明： 武打片 (wǔdǎpiàn)。是一个香港明星 (míngxīng) 演 (yǎn) 的。他演得好极 (jí) 了。

美云： 他叫什么名字？

马明： 他叫什么龙，我忘了。

美云： 是李小龙 (Lǐ Xiǎolóng) 还是成龙 (Chéng Lóng) ？

马明： 对了，是成龙。

Text 2

Meiyun is telling her mum about one of the musical instrument performances given by Jack ...

上个 (shàngge) 周末 (zhōumò) 学校举行音乐会，我的朋友杰克演奏 (yǎnzòu) 了中国的小提琴 (xiǎotíqín) 曲 (qǔ)《梁祝》(Liángzhù)。他拉 (lā) 得好极了。他的演奏一结束，大家就鼓起掌 (gǔzhǎng) 来①。杰克六岁就开始学习小提琴，他已经学了十年了。不过，我是第一次 (dì……cì) 听他演奏中国乐曲。听说，学习小提琴以前，他还学了两年钢琴 (gāngqín) 呢。

---

① 鼓起掌来 begin to applaud。

New words

1. 睡　　　shuì　　　　　(v.)　　　　to sleep
2. 困　　　kùn　　　　　(adj.)　　　sleepy
3. 昨天　　zuótiān　　　(n.)　　　　yesterday
4. 小时　　xiǎoshí　　　(n.)　　　　hour
5. 少　　　shǎo　　　　　(adj.)　　　little; few; less
6. 写　　　xiě　　　　　 (v.)　　　　to write
7. 作文　　zuòwén　　　 (n.)　　　　composition
8. 武打片　wǔdǎpiàn　　(n.)　　　　martial arts movies
9. 明星　　míngxīng　　 (n.)　　　　star (a famous performer)
10. 演　　　yǎn　　　　　(v.)　　　　to play; to perform; to act
11. 极　　　jí　　　　　　(adv.)　　　extremely; to the greatest extent; exceedingly
12. 上（个）shàng (ge)　 (n.)　　　　last; most recent
13. 周末　　zhōumò　　　(n.)　　　　weekend
14. 演奏　　yǎnzòu　　　 (v.)　　　　to play (a musical instrument)
15. 小提琴　xiǎotíqín　　(n.)　　　　violin
16. （乐）曲（yuè) qǔ　　(n.)　　　　tune; music; musical composition
17. 拉（琴）lā (qín)　　　(v.)　　　　 to play (certain musical instruments, such as violin, accordion)
18. 鼓掌　　gǔzhǎng　　 (v.)　　　　to applaud
19. 第……次 dì……cì　　　　　　　　 the ... time (第 *used before numerals to form ordinal numbers*)
20. 钢琴　　gāngqín　　 (n.)　　　　piano

62

Proper nouns

1. 李小龙	Lǐ Xiǎolóng	Bruce Lee
2. 成龙	Chéng Lóng	Jacky Cheng
3.《梁祝》	Liángzhù	*Butterfly Lovers*

Class Exercises

1. Conversation practice

(1) Make new conversations according to the example. Practice with a partner.

A：你怎么了？

B：我的自行车坏了。昨天我骑了6个小时自行车。

A：需要我帮忙吗？

B：不用了，多谢！（太好了，谢谢你！）

① 脚很疼，打了3个小时网球

② 眼睛很疼，玩了8个小时电脑

③ 手很疼，写了3个小时汉字

(2) In pairs, practice offering assistance.

2. Rearrange the order

Rearrange the following words and phrases according to the texts and then write their numbers in the phoenix's tail to make a complete sentence.

(1) 昨天晚上①　4个小时②　只睡了③　马明④

(2) 3个小时①　写作文②　写③　了④　马明⑤

(3) 电视①　他②　又③　两个小时④　看了⑤

(4) 已经①　杰克②　学了③　小提琴④　十年⑤　了⑥

3. Picture description

Can you tell how many years the person in each picture has been learning the musical instrument?

Susie，八年　　　　　　　　Tony，四年　　　　　　　Terry，五年，长笛 (chángdí)

Susie 学了八年钢琴了。　　　_____　　　_____

Hans，两年，萨克斯 (sàkèsī)   Daisy，三年，黑管 (hēiguǎn)   Billy，六年，吉他 (jítā)

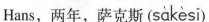

4. Class activity

Music Corner

Listen to a piece of *Butterfly Lovers* performed on the violin. Ask the students who have learned musical instruments to tell us about their learning and then give a performance. Interview the members of your school band or chorus. Report it(use the words in "艺术与爱好") to the whole class.

艺术与爱好

　　现在，越来越多的小学生、中学生学习艺术，有的学绘画，有的学音乐、乐器，有的学舞蹈……

　　杨华，女，高中二年级学生。从小喜欢音乐，从6岁开始学习小提琴。虽然现在学习很忙，但每个星期天下午她总是拉两个小时的小提琴："拉琴时，我的心里只有音乐，我觉得十分快乐，这是最好的休息……"

　　李云迪，男，5岁时获得四川省儿童手风琴①比赛第一名，7岁开始学习钢琴，有很高的音乐才能。12岁第一次参加国际钢琴比赛，获得"Stravinsky青少年国际钢琴比赛"B组第三名。2000年，获得第十四届Chopin国际钢琴比赛金奖，被称为②来自中国的钢琴神童③。

① 手风琴 accordion。　　② 被称为 is called。　　③ 神童 genius child。

Idioms and Ancient Stories

余 音 绕 梁，三 日 不 绝
yú yīn rào liáng sān rì bù jué

The music lingering around the beams three days after it has been played (the music lingering in the air long after the performance).

Listen and Practice

1. Listening comprehension

(1) Decide whether the following statements are true or false after listening to the record.

Key words：

周末 zhōumò (weekend)　　　　非洲 Fēizhōu (Africa)

True or false:

① 学习中国乐曲以前，他还学习了非洲乐曲呢。　　（　　）

② 杰克 4 岁就开始学习小提琴。　　　　　　　（　　）

③ 他已经学了 12 年音乐了。　　　　　　　　（　　）

④ 在音乐会上，杰克演奏的小提琴曲最好。　　（　　）

⑤ 这是杰克第一次在音乐会上演奏乐曲。　　　（　　）

⑥ 他的演奏一结束，大家就鼓起掌来。　　　　（　　）

(2) Answer the following questions after listening to the record.

Key words：

魔术师 móshùshī (magician)　　　设计 shèjì (to design)

魔术 móshù (magic)　　　　　　表演 biǎoyǎn (to perform)

需要 xūyào (need)　　　　　　　观众 guānzhòng (audience)

邀请 yāoqǐng (to invite)

Questions:

① 魔 术 师 的 新 魔 术 需 要 谁 的 帮 助?
　 mó shù shi de xīn mó shù xū yào shuí de bāng zhù

② 魔 术 师 为 什 么 让 儿 子 和 观 众 坐 在 一 起?
　 mó shù shi wèi shén me ràng ér zi hé guān zhòng zuò zài yì qǐ

③ 魔 术 师 为 什 么 对 观 众 说 他 不 认 识 这 个 孩 子?
　 mó shù shi wèi shén me duì guān zhòng shuō tā bú rèn shi zhè ge hái zi

④ 孩 子 有 没 有 告 诉 观 众 他 是 谁?
　 hái zi yǒu méi yǒu gào su guān zhòng tā shì shuí

2. Read the following modern poem.

朋 友, 别 感 叹 逝 去 的 年 华,
péng you bié gǎn tàn shì qù de nián huá

快 套 住 这 四 蹄 生 风 的 快 马!
kuài tào zhù zhè sì tí shēng fēng de kuài mǎ

追 悔 过 去, 不 如 现 在 出 发!
zhuī huǐ guò qù bù rú xiàn zài chū fā

在 时 间 的 草 原 上, 跃 马 向 前。
zài shí jiān de cǎo yuán shang yuè mǎ xiàng qián

Friends, don't regret for the youth that has passed.

Be quick! Catch this galloping steed!

No use crying over the past, we'd better set out now!

On the plain of time, let's stride forward!

Ma Ming's note for Meiyun.

美云：你好！

请原谅① (yuánliàng)，今天我不能跟你一起去游泳了，因为昨天晚上我"去"了很多地方，玩得非常累 (lèi)。所以，现在我必须睡觉。

昨天晚上我认识了一个网友 (wǎngyǒu)，她是北京人②。虽然我们是第一次认识，但是好像已经认识很久 (jiǔ) 了。她带我到北京的名胜古迹 (míngshèng gǔjì) 去参观。我们去了长城 (Chángchéng)、故宫 (Gùgōng)，还去了颐和园 (Yíhéyuán)。

我们在颐和园玩了一个半小时。当我们刚刚走进颐和园的时候 (dāng……de shíhou)，我以为 (yǐwéi) 它和故宫差不多 (chà bu duō)。可是在长廊 (chángláng) 的旁边，我却 (què) 看到了漂亮的昆明湖 (Kūnmíng Hú)。长廊上边 (shàngbian) 画着很多古代的故事 (gùshi)，非常有意思。

我的网友说，下次 (xiàcì) 带我去西安和成都 (Chéngdū)，还要带我去看大熊猫 (dàxióngmāo)。——别误会 (wùhuì)，我说的都是网上旅游 (wǎngshang lǚyóu)，欢迎你也来参加。

你的朋友：马明

---

① 请原谅。Please forgive me.
② 她是北京人。She is a Beijinger.

New words

1.	原谅	yuánliàng	(v.)	to forgive; to pardon; to excuse
2.	累	lèi	(adj.)	tired
3.	网友	wǎngyǒu	(n.)	cyber friend; friend met on the Internet
4.	久	jiǔ	(adj.)	for a long time; long
5.	名胜古迹	míngshèng gǔjì		places of historical interest and scenic beauty
6.	当……的时候	dāng……de shíhou		when
7.	以为	yǐwéi	(v.)	to think
8.	差不多	chà bu duō		about the same; similar
9.	却	què	(adv.)	but; yet
10.	上边	shàngbian	(n.)	on the surface / top of
11.	故事	gùshi	(n.)	tale; story
12.	下次	xiàcì		next time
13.	误会	wùhuì	(v.)	to misunderstand; to mistake
14.	网上旅游	wǎngshang lǚyóu		travel on the Internet
15.	大熊猫	dàxióngmāo	(n.)	giant panda

Proper nouns

1.	长城	Chángchéng	the Great Wall
2.	故宫	Gùgōng	the Forbidden City (the Palace Museum)
3.	颐和园	Yíhéyuán	the Summer Palace
4.	长廊	chángláng	the Long Corridor of the Summer Palace
5.	昆明湖	Kūnmíng Hú	the Kunming Lake
6.	成都	Chéngdū	Chengdu

69

Class Exercises

1. Matching

Match the left and right columns according to the text.

(1) 马明不能跟美云一起去游泳   玩了一个半小时。

(2) 马明和网友在颐和园   还去了颐和园。

(3) 马明虽然刚认识网友   因为他昨天玩得非常累。

(4) 马明和网友去了长城、故宫   但是好像已经认识了很久。

2. Role play

(1) Read the following dialogues first, and then perform them.

"请原谅，明天我不能和你一起去买东西了。"

"没关系①，我们以后再去。"

"很抱歉②，我来晚了。"

"没关系，电影还没开始。"

"真不好意思③，我又忘记把杂志带来了。"

"没什么④，明天再还给我吧！"

"真对不起，你受伤⑤了吗？"

"没事儿⑥，我骑得太快了。"

---

① 没关系。It doesn't matter.

③ 真不好意思。I feel so embarrassed! / I'm sorry.

⑤ 受伤 hurt。

② 很抱歉。I'm very sorry.

④ 没什么。That's all right. / Never mind.

⑥ 没事儿。I'm all right. / No problem.

(2) In pairs, practice expressing apologies.

3. Word classification

Classify the following words into 4 categories.

(1) 长城　　(2) 钢琴　　(3) 北京　　(4) 故宫　　(5) 小提琴　　(6) 兵马俑博物馆

(7) 西安　　(8) 颐和园　　(9) 大熊猫　　(10) 香港　　(11) 成都　　(12) 乌龟

Group 1 _____   Group 2 _____

Group 3 _____   Group 4 _____

4. Class activity

Dictation Game

Divide the class into 2 teams. For each turn send one person from each team to the blackboard to write Chinese words that are dictated to them (The two students must not look at each other's writing. The rest of the students will be the inspectors.). The teacher will mark the dictation after each turn. For a correct *Pinyin*, 1 point is given; for a correct character, 2. Three words will be tested in each turn. After everyone has had a turn, the team with the most points is the winner.

Listen and Practice

Read and sing

青 春 舞 曲
qīng chūn wǔ qǔ

太 阳 下 山 明 早 依 旧 爬 上 来,
tài yáng xià shān míng zǎo yī jiù pá shàng lái

花 儿 谢 了 明 年 还 是 一 样 的 开。
huā ér xiè le míng nián hái shi yí yàng de kāi

美 丽 小 鸟 飞 去 无 踪 影,
měi lì xiǎo niǎo fēi qù wú zōng yǐng

我 的 青 春 小 鸟 一 样 不 回 来。
wǒ de qīng chūn xiǎo niǎo yí yàng bù huí lái

青春舞曲

新疆民歌
吴文胜编曲

中速

太阳下山明早依旧爬 上 来，　　花儿谢了明年还是一 样的开。

美丽小鸟飞 去 无 踪 影，　　我的青春小鸟一样不 回 来，

我的青春小鸟一样不 回.来。　　别得那呀哟，　　别得那呀哟！

我的青春小鸟一样不 回 来。　　别得那呀哟，　　别得那呀哟！

我的青春小鸟一样不 回 来。

Reading

1. 名落孙山

古时候有个人叫孙山，他很喜欢开玩笑。有一天他和邻居的儿子一起去参加科举考试 (kējǔ kǎoshì, imperial examinations)，结果他考中了，但在考中的人中，他是最后一名 (zuìhòu yì míng, the last in the rank)，可是邻居的儿子没有考中 (kǎozhòng, pass an exam / test)。邻居的儿子不好意思回家。孙山回到家，邻居来问他。他说，在考中的人中，孙山是最后一名，您儿子的名字还在孙山的后面。

2. 画龙点睛

古时候有个著名 (zhùmíng, famous) 的画家 (huàjiā, painter)，有人请他在墙 (qiáng, wall) 上画四条龙。画完以后大家都说好，可是有个人发现这些龙没有眼睛。大家问画家，为什么不画眼睛。画家说，如果画了眼睛龙就活了，就会飞走 (fēizǒu, fly away)。大家不相信 (xiāngxìn, believe)，画家只好给两条龙画了眼睛。这时开始下雨，刮风，打雷 (dǎléi, thunder)。雨停了，大家再看，墙上只有两条龙了。

Writing

Make a poster for a Peking opera according to the example on P51.

Unit Language Practice

Cyber China Tour

Select some topics about China that interest you. You can have some discussion with your classmates in order to get some ideas. Examples of topics would be Chinese cities, famous historical and scenic spots in China, and Peking operas etc. Each student should then try to obtain as much information about their chosen topics as possible via the Internet. Summarize what you have found and make a presentation to the whole class.

UNIT SUMMARY

FUNCTIONAL USAGE

1. Discussing solutions

没有退票怎么办?
méi yǒu tuì piào zěn me bàn

那怎么办?
nà zěn me bàn

2. Expressing reasons

我不能跟你一起去
wǒ bù néng gēn nǐ yì qǐ qù

游泳，因为我很累。
yóu yǒng yīn wèi wǒ hěn lèi

3. Apologizing

请原谅……
qǐng yuán liàng

很抱歉……
hěn bào qiàn

4. Enquiring about situations

你怎么了?
nǐ zěn me le

GRAMMAR FOCUS

Sentence pattern   *Example*

1 到……去：
   dào   qù

我	要	到	中	国	去。
wǒ	yào	dào	zhōng	guó	qù

2 ……呢：
         ne

我	还	要	送	给	你	一	件	礼
wǒ	hái	yào	sòng	gěi	nǐ	yí	jiàn	lǐ

物	呢。
wù	ne

3 虽 然……但 是……：
   suī rán   dàn shì

虽	然	售	票	处	没	有	票	了，
suī	rán	shòu	piào	chù	méi	yǒu	piào	le

但	是	一	定	会	有	人	来	退
dàn	shì	yí	dìng	huì	yǒu	rén	lái	tuì

票。
piào

4

昨	天	晚	上	我	只	睡	了	4	个	小	时。
zuó	tiān	wǎn	shang	wǒ	zhǐ	shuì	le		ge	xiǎo	shí

CHINESE CHARACTERS REVIEW

汉字 Chinese character		拼音 *Pinyin*	词语组合 Language composition
慕	莫 心	mù	羡慕　爱慕
想	相 心	xiǎng	想念　想像
据	才 居	jù	根据　依据
票	西 示	piào	飞机票　车票　售票处
说	讠 兑	shuō	说话　说明　听说
睡	目 垂	shuì	睡觉
写	冖 与	xiě	写字　写作业
演	氵 寅	yǎn	演员　演出
奏	夫 天	zòu	演奏
误	讠 吴	wù	错误　误会
游	氵 斿	yóu	旅游　游行　游泳

Unit Three

Two Generations

9 我很烦

Getting Started

Describe what people are doing in the pictures by using the following given words.

叫……起床 (wake sb. up)

听音乐 (listen to the music)
拿走……的耳机
(take away sb.'s headphones)

很晚回家
(come back home very late)

张大夫 (Zhāng dàifu)，哈佛大学毕业 (Hāfó Dàxué bìyè)，专门研究 (zhuānmén yánjiū) 青少年 (qīngshàonián) 和父母 (fùmǔ) 的关系问题。欢迎您来作心理咨询 (xīnlǐ zíxún)。电话：995-6653。

Text 1

Mum is asking Ma Ming why he came home so late...

妈妈：　小明（Xiǎomíng），今天你是不是很晚才回来？

马明：　不晚，现在刚六点，我四点五十就到家了。

妈妈：　学校不是三点就放学（fàngxué）了吗？

马明：　我和几（jǐ）个同学在教室听音乐。我们四点半才离开（líkāi）学校。

妈妈：　你最近回家越来越晚了。做完（wán）作业（zuòyè）了吗？

马明：　还没有。我修（xiū）好滑板再做。

妈妈：　你应该做完作业再做别的事情（shìqing）。晚上你还要去中文学校呢。

马明：　别的同学都在玩儿，可是你总是让我学习（xuéxí）、学习、学习！

Text 2

Jack is complaining about something to Ma Ming...

　　我很烦 (fán)，爸爸越来越不理解 (lǐjiě) 我了。星期天 (xīngqītiān) 早晨，我九点就起床了，可是爸爸还批评 (pīpíng) 我："你怎么九点才起床，又睡懒 (lǎn) 觉①！" 每天下午，我不到六点就回家了，可是他问："你怎么这么晚才回来？" 我喜欢一边写作业，一边听音乐，可是他一看见就批评我，还拿走 (zǒu) 我的耳机 (ěrjī)。

　　我更生气 (shēngqì) 的是妈妈的态度 (tàidu)。每次爸爸批评我，她都说："你爸爸说得对。"

---

① 睡懒觉 sleep in; get up late。

New words

1. 放学	fàngxué	(v.)	(school) let out; (of classes) be over
2. 几	jǐ	(approx. num.)	a few; several; some
3. 离开	líkāi	(v.)	to leave
4. 完	wán	(v.)	to finish; to complete
5. 作业	zuòyè	(n.)	homework
6. 修	xiū	(v.)	to repair; to fix
7. 事情	shìqing	(n.)	thing; matter; business; affair
8. 学习	xuéxí	(v.)	to study
9. 烦	fán	(adj.)	vexed; annoyed; irritated
10. 理解	lǐjiě	(v.)	to understand
11. 星期天	xīngqītiān	(n.)	Sunday
12. 批评	pīpíng	(v.)	to criticize
13. 懒	lǎn	(adj.)	lazy
14. 走	zǒu	(v.)	to leave; to go/take away
15. 耳机	ěrjī	(n.)	headphone
16. 生气	shēngqì	(v.)	to get angry
17. 态度	tàidu	(n.)	attitude

Proper noun

小明	Xiǎomíng	Xiaoming

Class Exercises

1. Rearrange the order

Rearrange the following words and phrases according to the texts and then write their number in the phoenix's tail to make a complete sentence.

(1) 学校①　放学了②　3点③　就④

(2) 到家了①　马明②　4点50③　就④

(3) 和几个同学①　马明②　在教室③　听音乐④

(4) 回家①　越来越晚了②　最近③　马明④

(5) 做作业①　马明②　再③　修好滑板④　想⑤

2. Meiyun's family on Mondays

Make a sentence with "就" or "才" according to each picture.

①

妈妈<u>6点半就起床了</u>。

②

爸爸 ——————。

③

美云 ——————。

④

美华 ——————。

⑤

美云 _____。

⑥

美云家 _____。

3. Conversation practice

Number the following pictures and then read the story.

A

我们回家吧!

还不到4点，再游一会儿吧!

B

请原谅，让你久等了。

我半个小时以前就到了。

C

The correct order is: (1) pic. _____   (2) pic. _____   (3) pic. _____   (4) pic. _____.

4. Class activity

(1) Ask your classmates what time they have to be home by and if they are satisfied with this. Write a report about all your classmates based on your inquiries.

"你几点回家？" "你妈妈觉得晚不晚？"

(2) Are there any other issues cause you to conflict or have disagreements with your parents?

(3) 解决两代人的冲突（conflict）（I）：

这样的孩子是"好孩子"，你同意吗？	孩子	父母
学习成绩①好	☐	☐
喜欢运动	☐	☐
喜欢艺术	☐	☐
喜欢独立②	☐	☐
放学后马上回家	☐	☐
不跟异性③同学多说话	☐	☐
做什么事情都告诉父母	☐	☐
……		

这样的父母是"好父母"，你同意吗？	孩子	父母
不打孩子	☐	☐
经常和孩子一起玩	☐	☐
看孩子的信、日记④	☐	☐
决定⑤孩子买什么衣服	☐	☐
决定孩子的事情不跟孩子商量		☐
告诉孩子应该怎么做	☐	☐
不允许⑥孩子和异性在一起	☐	☐
……		

Complete the chart above. For parents' attitude, you should go back home and ask for their opinions, and then add according to the real situation some other common views about "good children" and "good parents". Discuss the differences between children's viewpoints and parents', and the causes of such differences. Considerate it from such aspects as different personalities, different social roles, wrong concepts, etc. Finally, perform in groups some of the typical clashes between generations.

Idioms and Ancient Stories

半 途 而 废
bàn tú ér fèi

Give up halfway. / Leave something unfinished.

Listen and Practice

1. Listening comprehension

(1) Decide whether the following statements are true or false after listening to the record.

Key words：

互相理解 hùxiāng lǐjiě (understand each other)

---

① grades ② independence ③ opposite sex ④ diary ⑤ decide; make decision ⑥ permit

放学 fàngxué ((school) lets out)　　认为 rènwéi (to think / believe)

觉得 juéde (to feel)　　累 lèi (tired)

True or false：

① 马明每天放学以后 7 点回家。　　　　　　　（　　）

② 马明的妈妈觉得他每天回家太晚了。　　　　（　　）

③ 马明星期天早晨 9 点起床，妈妈觉得他起得很早。（　　）

④ 马明觉得他和妈妈越来越不能互相理解了。　（　　）

⑤ 马明觉得一边做作业一边听音乐不累。　　　（　　）

⑥ 他妈妈一看见他听音乐就拿走他的耳机。　　（　　）

(2) Answer the following questions after listening to the record.

Key words：

很远的地方 hěn yuǎn de dìfang (a place far away)

照顾 zhàogù (to look after)　　市场 shìchǎng (market)

一只会唱歌的鸟 yì zhī huì chànggē de niǎo (a bird that can sing)

决定 juédìng (to decide)　　贵 guì (expensive)

花钱 huāqián (to spend money)

味道好极了 wèidao hǎo jí le (taste extremely good)

Questions：

① 这 个 人 为 什 么 不 能 常 常 回 家 照 顾 妈 妈?
   zhè ge rén wèi shén me bù néng cháng cháng huí jiā zhào gù mā ma

② 他 为 什 么 要 买 礼 物 送 给 妈 妈?
   tā wèi shén me yào mǎi lǐ wù sòng gěi mā ma

③ 他 为 什 么 买 鸟 送 给 妈 妈?
   tā wèi shén me mǎi niǎo sòng gěi mā ma

④ 为 什 么 他 花 很 多 钱 才 买 到 鸟?
   wèi shén me tā huā hěn duō qián cái mǎi dào niǎo

⑤ 他 的 妈 妈 觉 得 这 只 鸟 怎 么 样?
   tā de mā ma jué de zhè zhī niǎo zěn me yàng

⑥ 想 一 想, 这 个 人 听 了 妈 妈 说 的 话 会 怎 么 样?
   xiǎng yi xiǎng zhè ge rén tīng le mā ma shuō de huà huì zěn me yàng

2. Read the following ancient poem.

月 落 乌 啼 霜 满 天,
yuè luò wū tí shuāng mǎn tiān

江 枫 渔 火 对 愁 眠。
jiāng fēng yú huǒ duì chóu mián

姑 苏 城 外 寒 山 寺,
gū sū chéng wài hán shān sì

夜 半 钟 声 到 客 船。
yè bàn zhōngshēng dào kè chuán

Moon's down, crows cry and frosts fill all the sky;
By maples and boat lights, I sleepless lie.
Outside Gusu Cold-Hill Temple's in sight;
Its ringing bells reach my boat at midnight.

10 男孩儿和女孩儿

Getting Started

Have you noticed any inequality between men and women around you? Talk about it.

11年级2班定于（dìngyú）星期五下午在第8教室召开（zhàokāi）"男女平等问题"（nánnǚ píngděng wèntí）讨论会（tǎolùnhuì），欢迎对这个问题感兴趣的同学参加。

Ma Ming and Meiyun are arguing about who are more competent, boys or girls...

美云： 马明，你认识对门（duìmén）的张先生（Zhāng xiānsheng）吗？

马明： 对门的两家（jiā）人都姓张，你说的是哪一个？

美云： 他们有两个孩子（háizi），老（lǎo）大①三岁半，老二②才两岁。现在，他太太就要生（shēng）第三个孩子了。

马明： 哦，认识。他和他太太很想生一个男孩儿（nánháir）。

美云： 为什么？男孩儿跟女孩儿（nǚháir）不是一样吗？

马明： 不一样。男孩儿能干很多事情，可是女孩儿不行。

美云： 你说得不对。有些事情只有女孩儿才能干。

① 老大 the first child (of a family)。
② 老二 the second child (of a family)。

Text 2

Stories about my neighbor Mr. Zhang...

　　张先生今年才三十多 (duō) 岁，他已经有两个女儿了，大的三岁半，小的才两岁。他的妻子 (qīzi) 最近就要生第三个孩子了。他工作很忙，每天很早就出门了，很晚才回家。回家以后他还要帮助 (bāngzhù) 妻子照顾 (zhàogù) 两个女儿①。他总是对 (duì) 邻居们说"累死 (sǐ) 了"。邻居们问他，为什么不等两个女儿长大了再生第三个孩子。可是他说："不行啊，我爸爸等着抱 (bào) 孙子 (sūnzi) 呢。我可以不要儿子，可是我爸爸一定要一个孙子。"

New words

1. 对门	duìmén	(n.)	the room or building opposite
2. 张	Zhāng		Zhang (surname)
3. 先生	xiānsheng	(n.)	Mr./sir
4. 家	jiā	(m.)	*a measure word for families or business establishments*
5. 孩子	háizi	(n.)	child
6. 老……（词缀）	lǎo……		*prefix used in kinship terms before numerals to indicate order of seniority*
7. 生（孩子）	shēng (háizi)	(v.)	to give birth to...; to bear
8. 男孩儿	nánháir	(n.)	boy
9. 女孩儿	nǚháir	(n.)	girl

---

① 还要帮助妻子照顾两个女儿 have to help his wife to look after their two daughters。

10. 多（概数）	duō	(approx. num.)	
			over a specified amount; and more
11. 妻子	qīzi	(n.)	wife
12. 帮助	bāngzhù	(v.)	to help
13. 照顾	zhàogù	(v.)	to look after
14. 对	duì	(prep.)	to
15. 死	sǐ	(v.)	to die (here "to death")
16. 抱	bào	(v.)	to hold in arms; to embrace (here to have one's grandchild)
17. 孙子	sūnzi	(n.)	grandson

Class Exercises

1. Rearrange the order

Rearrange the following words and phrases according to the texts and then write their numbers in the phoenix's tail to make a complete sentence.

(1) 小女儿①　张先生的②　才③　两岁④

(2) 要①　很想②　男孩③　张先生④

(3) 爸爸①　张先生的②　孙子③　等着抱④

(4) 张先生①　帮助妻子②　两个女儿③　照顾④

2. Role play

(1)

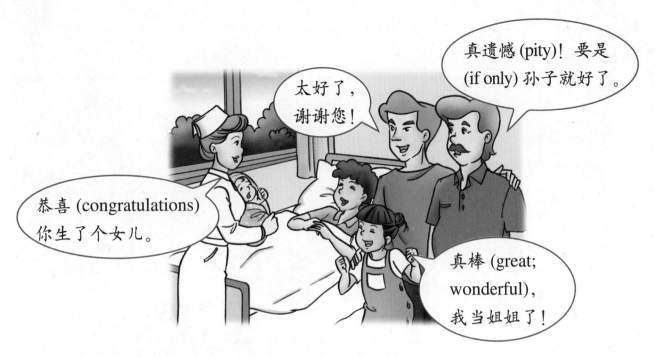

(2) In pairs practice expressing hopes, congratuations and regrets. Think of more situations to use these expressions.

3. Discussion

Read the following opinions. Do you agree with them? Do you favor boys more than girls or otherwise? Why?

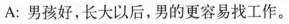

A: 男孩好，长大以后，男的更容易找工作。
B: 女孩好，女的找工作更容易，可以当秘书、当老师……

A: 女人好，女人可以不工作，男的不行。
B: 男人好，男的挣钱比女的多。
A: 女的好，老了以后，女人能照顾自己，大多数男人不行。

A: 男的好，男的更容易成功。
B: 女的跟男的一样，努力就能成功。

4. Class activity

> **Parents' Hopes**
>
> Imagine that in the future you can only have one child. Would you prefer a boy or girl? Why? Discuss the advantages and disadvantages of sons and daughters.

Idioms and Ancient Stories

亡　羊　补　牢
wáng yáng　bǔ　láo

Mend the fold after the sheep is lost.

Listen and Practice

1. Listening comprehension

(1) Decide whether the following statements are true or false after listening to the record.

Key words：

希望 xīwàng (to hope/wish)　　　　　赶快 gǎnkuài (immediately/soon)

True or false：

① 我的儿子今年53岁。 （ ）

② 我的儿子有三个女儿。 （ ）

③ 我很想要一个孙子。 （ ）

④ 我的大孙女已经三岁半了。 （ ）

⑤ 我不同意我儿子邻居的意见。 （ ）

(2) Answer the following questions after listening to the record.

Key words：

教 jiāo (to teach)　　　　　　汉字 hànzì (Chinese character)

"天"字 tiān zì (the character "天")　　记住 jìzhù (to remember / to learn... by heart)

头上 tóu shang (on the head)　　头发 tóufa (hair)

房顶 fángdǐng (roof)　　　　笨蛋 bèndàn (fool / idiot)

一只鸟在飞 yì zhī niǎo zài fēi (a bird is flying)

Questions：

① 张 先 生 每 天 教 谁 学 汉 字?
　 zhāng xiān sheng měi tiān jiāo shuí xué hàn zì

② 今 天 他 教 的 是 什 么 字?
　 jīn tiān tā jiāo de shì shén me zì

③ 他 为 什 么 问 "你 的 头 上 是 什 么"？
　 tā wèi shén me wèn nǐ de tóu shang shì shén me

④ 女 儿 回 答 得 对 不 对?
　 nǚ ér huí dá de duì bu duì

⑤ 张 先 生 为 什 么 生 气 了?
　 zhāng xiān sheng wèi shén me shēng qì le

⑥ 女 儿 为 什 么 哭 了?
　 nǚ ér wèi shén me kū le

2. Read the following tongue twister.

山　前　五　棵　树，架　上　五　壶　醋，
shān qián wǔ kē shù jià shang wǔ hú cù

林　中　五　只　鹿，箱　里　五　条　裤。
lín zhōng wǔ zhī lù xiāng li wǔ tiáo kù

伐　了　山　前　的　树，搬　下　架　上　的　醋，
fá le shān qián de shù bān xià jià shang de cù

捉　住　林　中　的　鹿，取　出　箱　中　的　裤。
zhuō zhù lín zhōng de lù qǔ chū xiāng zhōng de kù

Five trees in front of the hill; five bottles of vinegar on the shelf;

five deer in the woods; five pairs of pants in the trunk.

The trees in front of the hill were felled; the vinegar on the shelf was removed;

the deer in the woods were caught; the pants in the trunk were taken out.

11 我该怎么办

Getting Started

Discuss: What do you usually do on weekends?What do your parents think of the way you spend your weekend?

去野餐，送饭，跟朋友约会……

当服务员，参加舞会，当保姆……

Text 1

Meiyun is on the phone with her mother. She is asking her mother if she can sleep over the night at her classmate's home...

美云：喂，妈妈，我是美云。

妈妈：美云，你在哪儿？现在已经11点了。

美云：别担心① (dānxīn)，妈妈，我在同学家，一个同学过生日。

妈妈：你打算几点回家？

美云：再过一个小时，行吗？

妈妈：现在已经很晚了……

美云：妈妈，我能不能住在同学家？

妈妈：那不行！

美云：妈妈，求 (qiú) 求您②！同学们都在这儿，我不想现在自己 (zìjǐ) 回家。

妈妈：这样 (zhèyàng) 吧，一个小时以后我和你爸爸去接你。

---

① 别担心。Don't worry.

② 求求您 please...; I beg you...

Text 2

The worries of Meiyun's mother.

    我的女儿今年16岁了。她比以前高了，也比以前漂亮了，可是没有以前听话（tīnghuà）了。她不再喜欢我给她买的衣服了①。她总是对我说"这个（zhège）没有那个（nàge）时髦，这件没有那件漂亮"什么的②。星期六（xīngqīliù），她常常很晚才回家，有时候她还要求（yāoqiú）在同学家过夜（guòyè）。我想知道她有些（xiē）什么样的朋友，可是她对我保密（bǎomì）。她每次打电话，都躲（duǒ）在房间里。我越来越不了解（liǎojiě）她了。你们说，我该怎么办？

---

① 不再……了 no more...; no longer...

② ……什么的 *(used after a series of items)* things like that; and so on; and what not。

New words

1. 担心	dānxīn	(v.)	to worry
2. 求	qiú	(v.)	to plead; to beg; to request
3. 自己	zìjǐ	(pron.)	oneself
4. 这样 (吧)	zhèyàng (ba)	(pron.)	like this; so; this way
5. 听话	tīnghuà	(adj.)	obedient; heed what an elder or superior says
6. 这个	zhège	(pron.)	this
7. 那个	nàge	(pron.)	that
8. 星期六	xīngqīliù	(n.)	Saturday
9. 要求	yāoqiú	(v.)	to ask; to demand; to request
10. 过夜	guòyè	(v.)	to sleep over; to put up for the night
11. 些	xiē	(m.)	some; a few (*a measure word*)
12. 保密	bǎomì	(v.)	to keep sth. secret; to maintain secrecy
13. 躲	duǒ	(v.)	to hide
14. 了解	liǎojiě	(v.)	to understand; to know

Class Exercises

1. Role play

(1)

A：今天晚上我晚一点儿回家，行吗？

B：行，你11点半以前到家吧。

A：我很想参加这个晚会，求您了，让我去吧！

B：好吧，不过你必须12点以前到家。

A：我们班同学一起去海边玩儿，求您了，让我去吧！

B：不行。老师不参加，你就不能去。

(2) In pairs practice expressing requests, approval and denials.

2. Picture description

Make comparisons with "没有".

Example：Angel 没有 Alice 时髦。

Tom 的家

Sam 的家

3. Inteview your partner

(1) 你晚上出去玩吗？

(2) 你父母同意你晚上出去玩吗？

(3) 星期六、星期天你出去玩吗？

(4) 你父母同意你出去玩吗？

4. Class activity

(1)   **Me, in My Parents' Eyes**

Ask your parents to tell you a few things they like about you and a few things you do that annoy them. Write down in Chinese what your parents think of you and submit it to your group. Each group reports what you have summarized to the whole class.

(2) According to psychologists there are three steps to solve conflicts between two generations:

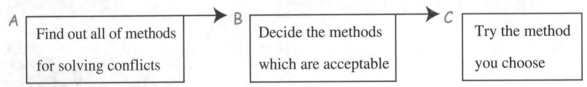

A Find out all of methods for solving conflicts → B Decide the methods which are acceptable → C Try the method you choose

Following the above method try to solve the conflicts that you might experience in your home. Seperate the steps into different boxes. Discuss with the class which methods for solving conflicts in the home are the best.

A Proverb

一 年 之 计 在 于 春，
yì nián zhī jì zài yú chūn

一 日 之 计 在 于 晨。
yí rì zhī jì zài yú chén

The whole year's work depends on a good start in spring;

The whole day's work depends on a good start in the morning.

Listen and Practice

1. Listening comprehension

(1) Decide whether the following statements are true or false after listening to the record.

Key words：

小孩子 xiǎo háizi (little kid)   总是 zǒngshì (always)

以前 yǐqián (before; in the past)   小女孩 xiǎo nǚhái (little girl)

True or false：

① 我妈妈觉得我是个小孩子。   (   )

② 我妈妈给我买的衣服很时髦。   (   )

③ 我妈妈不喜欢我自己买的衣服。   (   )

④ 星期六，我要求在同学家过夜，我妈妈同意了。 (   )

⑤ 我妈妈想知道我的朋友是什么人。   (   )

⑥ 我在房间里打电话，因为不想让我妈听见。 (   )

(2) Answer the following questions after listening to the record.

Key words:

家具 jiā jù (furniture)

一件一件地搬进家里 yí jiàn yí jiàn de bān jìn jiā li

                          (carry one thing after another into the house)

再结一次婚 zài jiē yí cì hūn (remarry)

Questions:

① 美 华 的 邻 居 正 在 干 什 么?
  měi huá de lín jū zhèng zài gàn shén me

② 为 什 么 邻 居 的 家 具 都 是 新 的?
  wèi shén me lín jū de jiā jù dōu shì xīn de

③ 美 华 为 什 么 要 妈 妈 和 爸 爸 再 结 一 次 婚?
  měi huá wèi shén me yào mā ma hé bà ba zài jiē yí cì hūn

④ 美 华 的 爸 爸 妈 妈 结 婚 了 吗?
  měi huá de bà ba mā ma jiē hūn le ma

2. Read the following modern poem.

远 远 的 街 灯 明 了,
yuǎn yuǎn de jiē dēng míng le

好 像 闪 着 无 数 的 明 星。
hǎo xiàng shǎn zhe wú shù de míng xīng

天 上 的 明 星 现 了,
tiān shang de míng xīng xiàn le

好 像 点 着 无 数 的 街 灯。
hǎo xiàng diǎn zhe wú shù de jiē dēng

我 想 那 缥 缈 的 空 中,
wǒ xiǎng nà piāo miǎo de kōng zhōng

定 然 有 美 丽 的 街 市。
dìng rán yǒu měi lì de jiē shì

街 市 上 陈 列 的 一 些 物 品,
jiē shì shang chén liè de yì xiē wù pǐn

定 然 是 世 上 没 有 的 珍 奇。
dìng rán shì shì shang méi yǒu de zhēn qí

> The streetlights brightened afar,
> like the countless twinkling stars.
> The stars in the sky appeared,
> like numerous burning streetlights.
> I fancy there must be a beautiful city
> up in the misty space.
> The objects displayed there must be
> treasures that do not exist in our
> earthy place.

12 望子成龙

Review

Text

Parents' hopes and children's hopes.

虽然父母 (fùmǔ) 都希望自己的孩子健康 (jiànkāng)，生活 (shēnghuó) 得幸福 (xìngfú)，但是不同的父母，对孩子会有不同的希望。

在中国，很多父母都希望孩子能继承 (jìchéng) 自己的事业 (shìyè)，或者希望孩子去做父母想做可是没有机会 (jīhuì) 做的事情。还有的父母觉得，孩子有自己的理想 (lǐxiǎng)，应该让孩子做自己想做的事情。例如 (lìrú)：

电脑公司 (gōngsī) 的李先生说："我要让我儿子学习计算机 (jìsuànjī)。"

餐馆的王太太说："我以前想上 (shàng) 大学，可是没有机会。我希望我女儿将来上一个名牌 (míngpái) 大学。"

那么，孩子们对父母的要求怎么想呢？

王太太的女儿说："我妈妈总是说，知识 (zhīshi) 越多越好。所以，她让我三岁就开始学习写汉字 (hànzì)，读 (dú) 古诗 (gǔshī)。可是别的事情我都不会干，我十岁才学会系鞋带 (xiédài)。"

李先生的儿子说："我不喜欢电脑专业 (zhuānyè)，我想学国际 (guójì) 贸易 (màoyì)，可是……"

你对这个问题怎么想？

New words

1. 父母	fùmǔ	(n.)	parents
2. 健康	jiànkāng	(adj.)	healthy
3. 生活	shēnghuó	(v.)	to live
4. 幸福	xìngfú	(adj.)	happy
5. 继承	jìchéng	(v.)	to carry on; to inherit
6. 事业	shìyè	(n.)	career
7. 机会	jīhuì	(n.)	chance; opportunity
8. 理想	lǐxiǎng	(n.)	ideal; aspiration

9. 例如	lìrú		for example; for instance
10. 公司	gōngsī	(n.)	company; firm
11. 计算机	jìsuànjī	(n.)	computer
12. 上（大学）	shàng(dàxué)	(v.)	go (to university)
13. 名牌	míngpái	(n.)	prestigious/ famous brand
14. 知识	zhīshi	(n.)	knowledge
15. 汉字	hànzì	(n.)	Chinese character
16. 读	dú	(v.)	to read
17. 古诗	gǔshī	(n.)	ancient poem
18. 鞋带	xiédài	(n.)	lace
19. 专业	zhuānyè	(n.)	major
20. 国际	guójì	(n.)	international
21. 贸易	màoyì	(n.)	trade

Class Exercises

1. Rearrange the order

Rearrange the following words and phrases according to the texts and then write their numbers in the phoenix's tail to make a complete sentence.

(1) 孩子①　继承②　很多父母③　希望④　自己的事业⑤　都⑥

(2) 才①　十岁②　会③　王太太的女儿④　系鞋带⑤

(3) 王太太的女儿①　就②　写汉字③　三岁④　开始⑤

(4) 儿子①　张先生的②　国际贸易③　学④　想⑤

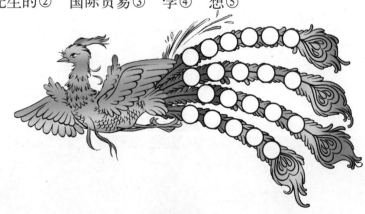

107

2. Matching

Match the left and right columns to form 4 sentences according to the text.

(1) 父母都希望　　　　　　　　　应该让孩子做自己想做的事情。

(2) 有的父母觉得　　　　　　　　没有上过大学。

(3) 电脑公司的李先生　　　　　　自己的孩子健康、幸福。

(4) 餐馆的王太太　　　　　　　　要让他的儿子学习计算机。

3. Read and discuss

<h3 style="text-align:center">父母的期望① 与孩子的心理②</h3>

中国的父母对孩子的期望都比较高。不同时代，父母对孩子的期望不同。以前，许多父母希望孩子当工人③。后来经济发展了，人们羡慕④会赚钱⑤的人，许多父母希望孩子将来能赚钱。最近几十年，"白领⑥"的收入越来越高，知识的作用越来越大了。父母们希望孩子上名牌大学。他们花钱送孩子上名牌中学，请老师辅导⑦孩子，替⑧孩子决定将来的职业。

父母的期望会对孩子产生什么影响？父母的期望太高、太强烈⑨，会使孩子自卑⑩、紧张⑪。因此，父母应该尊重⑫孩子的兴趣⑬爱好⑭，与孩子一起商量⑮未来⑯的职业⑰。

Discuss:

(1) 你的父母对你有什么希望、有什么要求？

(2) 将来你想上哪个大学，学什么专业？

(3) 你跟父母谈过自己的理想吗？

(4) 你会做家务活吗？会做什么家务活 (jiāwùhuó, housework)？

---

① hope, expectation
② mantality, psychology
③ worker
④ admire, envy
⑤ earn money
⑥ white collar
⑦ give guidance to
⑧ for
⑨ strong, intense
⑩ feel oneself inferior
⑪ jǐnzhāng, nervous, tense
⑫ respect
⑬ interest
⑭ hobby, interest
⑮ consult, talk over
⑯ wèilái, future
⑰ occupation, profession

4. Class activity

My Joys and Troubles

In groups talk about joys and troubles of your family, life and studies. Read the group report to the whole class.

Listen and Practice

Read and sing

洪 湖 水， 浪 打 浪
hóng hú shuǐ làng dǎ làng

洪 湖 水，浪 打 浪，洪 湖 岸 边 是 家 乡，
hóng hú shuǐ làng dǎ làng hóng hú àn biān shì jiā xiāng

清 早 船 儿 去 撒 网，晚 上 回 来 鱼 满 舱。
qīng zǎo chuán ér qù sǎ wǎng wǎn shang huí lái yú mǎn cāng

四 处 野 鸭 和 菱 藕，秋 收 满 畈 稻 谷 香，
sì chù yě yā hé líng ǒu qiū shōu mǎn fàn dào gǔ xiāng

人 人 都 说 天 堂 美，怎 比 我 洪 湖 鱼 米 乡。
rén rén dōu shuō tiān táng měi zěn bǐ wǒ hóng hú yú mǐ xiāng

Hong Lake, Ripples after Ripples

Hong Lake, ripples after ripples, and its banks are where my hometown is.

Riding the boat to cast the net in the morning,

returning home with a boatful of fish in the evening.

Mallards and water chestnuts are everywhere;

you can smell the scent of paddy of the harvest.

Everyone says the paradise is of paramount beauty,

but how can it be compared with my hometown?

洪湖水，浪打浪

（电影《洪湖赤卫队》插曲）

梅少山、张 敬 安 词
梅会召、欧阳谦叔
张敬安、欧阳谦叔曲

洪 湖 水(呀) 浪呀么浪打浪啊，洪湖 岸边

是呀么是家乡啊， 清早 船儿 去 呀去撒网，

晚上 回来 鱼满 舱。

四 处野鸭 和菱藕， 秋 收满畈 稻谷香， 人人

都 说 天 堂美， 怎比 我 洪湖

鱼 米 乡。

Reading

1. 半途而废

古时候有个人叫乐羊子，他到很远的地方去学习。学习生活很辛苦（xīnkǔ, hard working），他没有学完就回家了。他的妻子正在织布（zhībù, to weave cloth），听说他没有学完，就把织布机（zhībùjī, loom）上的布剪断（jiǎnduàn, to snip）了。妻子说，学习半途而废，就好像剪断的布，白白浪费（làngfèi, to waste）了很多时间。听了妻子的话，乐羊子马上离开家，继续学习去了。

2. 亡羊补牢

从前（cóngqián, long long ago）有个人，他有很多羊（yáng, sheep）。有一天，他的羊圈破了（yángjuàn pò le, the sheepfold was broken），邻居告诉他，可是他没有马上修理（xiūlǐ, to repair）。后来羊圈的破洞（dòng, hole）越来越大，一些羊从破洞跑出去了。他很后悔（hòuhuǐ, to regret; repent）没有听邻居的话。这时，邻居告诉他，虽然已经跑了一些羊，不过现在修补羊圈还不晚（xiànzài xiūbǔ yángjuàn hái bù wǎn, it's never too late to mend the fold）。

Writing

Ask your classmates what they think of their parents and write down each one's opinions.

Unit Language Practice

Survey and Discussion on Generation Gap

Ask your parents about the ideals they have in their youth, their present occupations, what hopes their parents had for them, and if they got along smoothly with their parents etc. Discuss why there is always a generation gap in a family and how to eradicate it.

Unit Summary

FUNCTIONAL USAGE

1. Complaining

你 总 是 让 我……
nǐ zǒng shì ràng wǒ

2. Disagreeing

你 说 得 不 对。
nǐ shuō de bú duì

3. Requesting permission

妈 妈，求 求 您……
mā ma qiú qiu nín

GRAMMAR FOCUS

Sentence pattern   *Example*

1. 就……：
    jiù

    我 四 点 钟 就 回 来 了。
    wǒ sì diǎn zhōng jiù huí lái le

2. 才……：
    cái

    他 九 点 钟 才 起 床。
    tā jiǔ diǎn zhōng cái qǐ chuáng

    张 先 生 今 年 才 三 十 多 岁。
    zhāng xiān sheng jīn nián cái sān shí duō suì

3. 越……越……：
    yuè   yuè

    知 识 越 多 越 好。
    zhī shi yuè duō yuè hǎo

4. 对……：
    duì

    他 总 是 对 我 保 密。
    tā zǒng shì duì wǒ bǎo mì

CHINESE CHARACTERS REVIEW

汉字 Chinese character		拼音 *Pinyin*	词语组合 Language composition
修	攸 彡	xiū	修理　修改
理	王 里	lǐ	理解　理由　整理
解	角 刀 牛	jiě	理解　解决
批	扌 比	pī	批评　批准
评	讠 平	píng	批评　评论
懒	忄 赖	lǎn	懒惰　睡懒觉
孙	子 小	sūn	子孙　孙子
躲	身 朵	duǒ	躲避　躲开
健	亻 建	jiàn	健康　健美
福	礻 畐	fú	幸福
例	亻 列	lì	例句　例子　例如　举例
牌	片 卑	pái	牌子　名牌　牌照
读	讠 卖	dú	读书　阅读
鞋	革 圭	xié	皮鞋　鞋带

Unit Four

Different Cultures

Discuss the features of different cultures and the differences between them in a multi-cultural society.

13 婚礼的 "颜色"

Getting Started

"囍屋"婚庆公司广告（"xǐwū" hūnqìng gōngsī guǎnggào）：为您的新娘（xīnniáng）化妆（huàzhuāng），为您举行（jǔxíng）婚礼（hūnlǐ），为您拍摄（pāi shè）婚礼照片……

116

Can you tell the differences between the two brides in the pictures by using the given words?

新娘 xīnniáng (bride)	漂亮 piàoliang (pretty)	红色 hóngsè (red)
白色 báisè (white)	穿 chuān (to wear)	旗袍 qípáo (cheongsam)
皮鞋 píxié (leather shoes)	花儿 huār (flower)	戴 dài (to wear)

117

Text 1

Jack and Meiyun are at Meiyun's uncle's wedding...

杰克： 美云，今天这条街有多少人举行婚礼？

美云： 不知道 (zhīdào)。怎么了？

杰克： 你看，这边 (zhèbiān) 挂着红色的灯笼 (dēnglong)。是不是在举行婚礼？

美云： 哦，这是一家饭馆，今天开张 (kāizhāng)。

杰克： 你看，那边 (nàbiān) 的门口也站着很多人。

美云： 那就是我叔叔家。你听，鞭炮 (biānpào) 响 (xiǎng) 了，婚礼已经开始了。

杰克： 中国人什么时候放 (fàng) 鞭炮？

美云： 有喜事 (xǐshì) 的时候。挂灯笼，放鞭炮都是为了表示庆祝。如果你过春节的时候来这儿，这里就更热闹了。

杰克： 我应该对新郎 (xīnláng) 说什么？

美云： 恭喜 (gōngxǐ) 恭喜。另外 (lìngwài)，你也可以夸 (kuā) 夸他的新娘 (xīnniáng)。

Text 2

Jack is talking about his impression of a Chinese wedding and comparing eastern and western weddings.

昨天我参加了美云叔叔的婚礼。新娘长得很漂亮。她身 (shēn) 上 (shang) 穿着红色的旗袍，脚 (jiǎo) 上穿着红色的皮鞋，头上戴着红色的花儿 (huār)；房间里的很多东西都是红色的，墙 (qiáng) 上挂着红色的"囍"①字，桌子上摆 (bǎi) 着红色的蜡烛 (làzhú)。这跟去年我阿姨 (āyí) 的婚礼很不一样。那天 (nàtiān) 我阿姨穿着白色的裙子，白色的皮鞋，戴着白色的花儿。如果说中国人的婚礼是红色的，那么是不是可以说，西方 (xīfāng) 人的婚礼是白色的呢？

① "囍"，sticking to the wall when people hold their wedding ceremony means luck and happiness.

119

New words

1. 知道	zhīdào	(v.)	to know; to have ideas about ...
2. 这边	zhèbiān	(pron.)	this side; here; this way
3. 灯笼	dēnglong	(n.)	lantern
4. 开张	kāizhāng	(v.)	to open for business
5. 那边	nàbiān	(pron.)	that side; there
6. 鞭炮	biānpào	(n.)	firecracker
7. 响	xiǎng	(v.)	to bang; to make a sound
8. 放（鞭炮）	fàng (biānpào)	(v.)	to set off (firecrackers)
9. 喜事	xǐshì	(n.)	a joyful event
10. 新郎	xīnláng	(n.)	bridegroom
11. 恭喜	gōngxǐ	(v.)	to congratulate
12. 另外	lìngwài	(n.)	in addition; besides
13. 夸	kuā	(v.)	to praise; to compliment
14. 新娘	xīnniáng	(n.)	bride
15. 身	shēn	(n.)	body
16. 上	shàng	(n.)	on (*used after a noun*)
17. 脚	jiǎo	(n.)	foot
18. 花儿	huār	(n.)	flower
19. 墙	qiáng	(n.)	wall
20. 摆	bǎi	(v.)	to put; to place; to arrange
21. 蜡烛	làzhú	(n.)	candle
22. 阿姨	āyí	(n.)	aunt
23. 那天	nàtiān		on that day
24. 西方	xīfāng	(n.)	west

Class Exercises

1. Matching

Match the left and right columns according to the text.

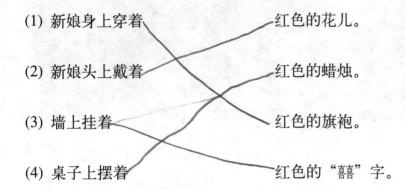

(1) 新娘身上穿着

(2) 新娘头上戴着

(3) 墙上挂着

(4) 桌子上摆着

红色的花儿。

红色的蜡烛。

红色的旗袍。

红色的"囍"字。

2. Make a comparison

Can you tell the differences between the two people in the following pictures?

Mack

Tom

Mack 身上穿着黑色的西装……

3. Role play

A：恭喜、恭喜！

新娘、新郎：欢迎！欢迎你们。

A：祝你们新婚快乐①！

B：祝你们幸福、快乐②！

A：干杯，为新娘、新郎干杯！

B：干杯，为他们的幸福干杯！

A：新娘的衣服真漂亮！

B：是啊，不过，新娘长得更漂亮。

4. Class activity

(1) Ask your classmates about their experiences of attending weddings. Are the weddings they've been to eastern style or western style?

"你参加过婚礼吗？"

"你参加的婚礼是中式（eastern style）的还是西式（western style）的？"

(2) Discuss the similarities and differences between eastern and western weddings.

---

① Wish you a joyful wedding and a happy marriage!

② Wish you happiness and merriness!

Idioms and Ancient Stories

塞 翁 失 马
sài wēng shī mǎ

The old frontiersman losing his horse
(A blessing in disguise)

Listen and Practice

1. Listening comprehension

(1) Decide whether the following statements are true or false after listening to the record.

Key words：

发现 fāxiàn (to find)

True or false：

① 杰克昨天参加了西方人的婚礼。 　　　　　(F)

② 西方的新娘不穿红色的旗袍。 　　　　　　(T)

③ 中国的新娘脚上穿白色的皮鞋。 　　　　　(F)

④ 中国人结婚的时候门口挂着红色的灯笼。 　(T)

⑤ 中国人结婚的时候还放鞭炮，这跟西方一样。(F)

(2) Answer the following questions after listening to the record.

Key words：

酸奶公司 suānnǎi gōngsī (yogurt company)　　广告 guǎnggào (advertisement)

又酸又甜 yòu suān yòu tián (both sour and sweet)

初恋 chūliàn (first love)　　　　　　　　　　记者 jìzhě (reporter; journalist)

经理 jīnglǐ (manager)　　　　　　　　　　　容易 róngyì (easy)

尝一尝 chángyicháng (have a taste)

Questions :

① 酸 奶 公 司 的 广 告 说 什 么?
　 suān nǎi gōng sī　de guǎng gào shuō shén me

② 记 者 问 什 么?
　 jì　zhě wèn shén me

③ 经 理 说 什 么?
　 jīng lǐ　shuō shén me

④ 你 认 为 酸 奶 和 "初 恋" 有 什 么 关 系?
　 nǐ　rèn wéi suān nǎi hé　chū liàn yǒu shén me guān xi

2. Read the following ancient poem.

渭 城 朝 雨 浥 轻 尘,
wèi chéng zhāo yǔ　yì　qīng chén

客 舍 青 青 柳 色 新。
kè　shè qīng qīng liǔ　sè　xīn

劝 君 更 进 一 杯 酒,
quàn jūn gèng jìn　yì　bēi jiǔ

西 出 阳 关 无 故 人。
xī　chū yáng guān wú　gù　rén

Dusts are washed off in town by morning rain;

The inn is all green where fresh willows reign.

Would you please have more wine, another glass?

You'll find no more old friends west of the Pass.

124

14 不同的节日，同样的祝贺（zhù hè）

Getting Started

Try to figure out the following congratulatory cards and spring couplet.

Happy New Year!

May all your wishes come ture in the next year!

感恩节快乐！

Happy Thanksgiving!

圣诞快乐！

Happy New Year!

Text 1

Jack and Ma Ming are talking about different festival customs...

杰克：　马明，你写汉字写得很好。你能不能帮我写一张贺卡？

马明：　当然可以。写什么？

杰克：　你帮我想想！我想寄 (jì) 给在中国的网友。

马明：　你有新网友了，是男的还是女的？

杰克：　别开玩笑 (kāi wánxiào) 了。因为我收到了网友的圣诞贺
　　　　卡，我也应该寄出一张春节贺卡。

马明：　好吧，不过，我要知道你的网友是一个什么样的人？

杰克：　他讲故事讲得很好，他的性格 (xìnggé) 可能很开朗 (kāi
　　　　lǎng)。

马明：　还有呢？

杰克：　他知道的事情很多，所以他可能读书读得不少。

马明：　我知道了。你等等，我马上就帮你写贺卡。

127

Text 2

A couplet for the Spring Festival.

春节是中国最重要 (zhòngyào) 的传统 (chuántǒng) 节日。每年 (měinián) 春节以前的几个星期，人们 (rénmen) 就开始忙着准备过节 (guòjié)。孩子们要帮助父母打扫房间，妈妈要准备很多好吃的东西。春节还有一件很重要的事情，就是贴 (tiē) 春联 (chūnlián)。人们把吉利 (jílì) 话 (huà)，或者 (huòzhě) 是庆祝新年的话写在红色的纸条 (zhǐtiáo) 上，把纸条贴在门的两边。这就是春联。

中国的春联有一千 (qiān) 多年的历史了。有时候，春联上的话也表示不满意 (mǎnyì)。现在我给你们介绍一副春联。你们猜 (cāi) 猜，下面这副春联什么意思：

上联 (shànglián)：二三四五

下联 (xiàlián)：六七八九

横批 (héngpī)：南北

New words

1. 寄	jì	(v.)	to mail; to post
2. 开玩笑	kāi wánxiào		play/make a joke
3. 性格	xìnggé	(n.)	personality
4. 开朗	kāilǎng	(adj.)	sanguine; always cheerful
5. 重要	zhòngyào	(adj.)	important
6. 传统	chuántǒng	(n.)	tradition
7. 每年	měinián		each year
8. 人们	rénmen	(n.)	people
9. 过节	guòjié	(v.)	celebrate a festival
10. 贴	tiē	(v.)	to paste; to stick; to glue
11. 春联	chūnlián	(n.)	couplet for the Spring Festival
12. 吉利	jílì	(adj.)	lucky; auspicious; propitious
13. 话	huà	(n.)	word; talk
14. 或者	huòzhě	(pron.)	or
15. 纸条	zhǐtiáo	(n.)	scroll
16. 千	qiān	(num.)	thousand
17. 满意	mǎnyì	(adj.)	satisfied
18. 猜	cāi	(v.)	to guess
19. 上联	shànglián	(n.)	first line of the couplet
20. 下联	xiàlián	(n.)	second line of the couplet
21. 横批	héngpī	(n.)	horizontal inscription

Class Exercises

1. Rearrange the order

Rearrange the following words and phrases according to the texts and then write their numbers in the phoenix's tail to make a complete sentence.

(1) 马明① 写汉字② 很好③ 写得④

(2) 杰克① 马明② 帮③ 写贺卡④

(3) 杰克的网友① 讲得② 很好③ 讲故事④

(4) 杰克的网友① 不少② 读书③ 读得④

(5) 性格① 杰克的网友② 开朗③ 很④

2. Matching

Match the left and right columns according to the text and then read the sentences.

(1) 春节   有一千多年的历史了。

(2) 春节前   要帮助父母打扫房间。

(3) 春联   是中国最重要的传统节日。

(4) 孩子们   人们忙着准备过节。

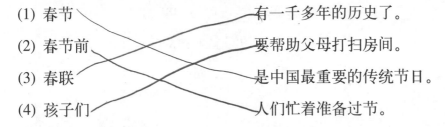

3. Picture description

The Spring Festival and Christmas

How are the people in the pictures celebrating the Spring Festival and Christmas? What are the similarities and differences?

4. Class activity

Find out how many of your classmates and their families celebrate Christmas and how many the Spring Festival. Ask them what Christmas gifts they have received and if they have been given money as a Chinese New Year gift. Make a Christmas card or a Spring Festival card in Chinese for your parents or good friends.

"你们家过圣诞节吗？""你得到过什么圣诞礼物？"

"你们家过春节吗？""你得到过压岁钱吗？"……

Idioms and Ancient Stories

狐 假 虎 威
hú jiǎ hǔ wēi

The fox borrows the tiger's fierceness (by walking in the latter's company) – to bully people by flaunting one's powerful connections.

Listen and Practice

1. Listening comprehension

(1) Decide whether the following statements are true or false after listening to the record.

True or false：

① 杰克要学汉语，所以他在家门的两边贴春联。 （ F ）

② 杰克请马明帮助他写贺卡。 （ F ）

③ 马明的妈妈请杰克吃东西。 （ F ）

④ 马明写了两副对联，杰克都不喜欢。 （ F ）

(2) Answer the following questions after listening to the record.

Key words：

小王 Xiǎo Wáng (Xiao Wang)

得到提升 dédào tíshēng (get a promotion)

好像 hǎoxiàng (seem; as if; look like)

131

忘记 wàngjì (to forget)

年轻人 niánqīng rén (young people)

15 年的经验 shíwǔ nián de jīngyàn (15 years of experience)

15 次 shíwǔ cì (15 times)

Questions：

① 小 王 工 作 了 多 少 年?
xiǎo wáng gōng zuò le duō shao nián

② 小 王 得 到 提 升 了 吗?
xiǎo wáng dé dào tí shēng le ma

③ 小 王 为 什 么 很 生 气?
xiǎo wáng wèi shén me hěn shēng qì

④ 经 理 觉 得 自 己 做 得 对 吗? 为 什 么?
jīng lǐ jué de zì jǐ zuò de duì ma wèi shén me

2. Read the following tongue twister.

新 郎 和 新 娘，柳 阴 里 面 来 乘 凉。
xīn láng hé xīn niáng liǔ yīn lǐ miàn lái chéngliáng

新 娘 问 新 郎，你 要 去 捉 鱼，还 是 去 打 狼?
xīn niáng wèn xīn láng nǐ yào qù zhuō yú hái shi qù dǎ láng

新 郎 答 新 娘，我 不 去 捉 鱼，
xīn láng dá xīn niáng wǒ bú qù zhuō yú

我 也 不 打 狼，我 要 回 家 找 我 娘。
wǒ yě bù dǎ láng wǒ yào huí jiā zhǎo wǒ niáng

The groom and the bride were sitting in the willow shadow enjoying the cool.
"Are you going to catch fish or wolves?" the bride asked the groom.
"I'm going to catch neither fish nor wolves. I'm going home to see my mum," answered the groom.

132

15 你更喜欢吃哪一种菜

Getting Started

What's your favorite food? What do you usually eat?

两份菜单 Two Menus

(1) Menu of Chinese Dishes

凉菜 liángcài (cold dishes):

熏鱼 xūnyú (smoked fish)

拌海带丝 bàn hǎidàisī (kelp salad)

白斩鸡 báizhǎnjī (chicken salad) ……

热菜 rècài (hot dishes) ——素菜 vegetables:

蚝油生菜 háoyóu shēngcài (lettuce stir-fried with oyster sauce)

炒扁豆 chǎo biǎndòu (stir-fried hyacinth beans)

麻婆豆腐 mápó dòufu (pockmarked grandma's tofu) ……

热菜 rècài (hot dishes) ——荤菜 meat:

松鼠鳜鱼 sōngshǔ guìyú (squirrel sweet and sour cod)

烤鸭 kǎoyā (roast duck)

京酱肉丝 jīngjiàng ròusī (shredded pork cooked in soy sauce) ……

汤 tāng (soup):

鸡蛋汤 jīdàn tāng (egg soup)

酸辣汤 suānlà tāng (hot and sour soup)

三鲜汤 sānxiān tāng (soup with three delicacies) ……

主食 zhǔshí (staple food):

米饭 mǐfàn (rice)　　　　　饺子 jiǎozi (dumplings)

包子 bāozi (steamed stuffed bun)　　馒头 mántou (steamed bread) ……

(2) Menu of Western Dishes

饮料 yǐnliào (soft drink)：

　　葡萄酒 pútáo jiǔ (grape wine)

　　香蕉丽人 xiāngjiāo lìrén (banana split)

　　柠檬汁 níngméng zhī (electric lemonade)……

汤 tāng (soup)：

　　奶油汤 nǎiyóu tāng (cream soup)

　　蘑菇汤 mógu tāng (mushroom soup)

　　洋葱汤 yángcōng tāng (onion soup)……

沙拉 shālā (salad)：

　　蔬菜沙拉 shūcài shālā (green salad)

　　水果沙拉 shuǐguǒ shālā (fruit salad)

　　海鸥沙拉 hǎi'ōu shālā (cobb salad)……

热菜 rècài (main course)：

　　意大利肉酱面 Yìdàlì ròujiàngmiàn (spaghetti)

　　酥炸鱼柳 sūzháyúliǔ (crispy fried fish)

　　炸牛排 zhá niúpái (fried steaks)……

甜点 tiándiǎn (desserts)：

　　水果布丁 shuǐguǒ bùdīng (fruit pudding)

　　巧克力圣代 qiǎokèlì shèngdài (chocolate sundae)

　　香草冰激凌 xiāngcǎo bīngjīlíng (vanilla icecream)……

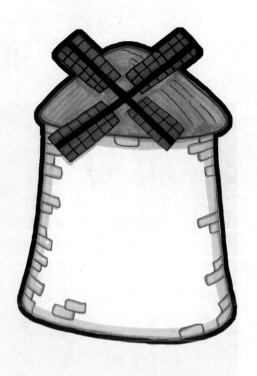

Text 1

Jack and Ma Ming are talking about the different flavors of various dishes...

杰克：马明，我听说，最近流行吃中国菜。

马明：对，昨天我刚吃了中国菜。我叔叔请客（qǐngkè），他点（diǎn）了六七个菜。

杰克：那么多！

马明：我们先点了一两个凉菜，然后又点了四五个热菜。

杰克：你吃过（guo）日本菜吗？

马明：我吃过，日本菜和中国菜不太一样。

杰克：我喜欢吃墨西哥（Mòxīgē）菜，因为我喜欢吃辣的。

马明：那你也一定喜欢吃中国的川菜。你吃过法国（Fǎguó）菜吗？

杰克：当然吃过。法国菜我更喜欢。

马明：我听说47街新开（kāi）了一家法国饭馆。

杰克：是吗，你想不想去尝（cháng）尝法国菜？

马明：我想应该先去挣钱（zhèngqián），然后再去吃。

Text 2

Different tableware

不同的民族 (mínzú) 有不同的文化。他们的饮食 (yǐnshí) 习惯 (xíguàn) 不同，使用 (shǐyòng) 的餐具 (cānjù) 往往 (wǎngwǎng) 也不同。在中国，人们习惯用筷子 (kuàizi) 吃饭 (chīfàn)。吃饭的时候，一家人坐在一起，桌子中间 (zhōngjiān) 摆着菜，每个人用筷子夹 (jiā) 菜吃。中国人觉得这样吃饭很热闹。

在欧洲 (Ōuzhōu)，人们习惯用刀 (dāo)、叉 (chā) 吃饭。每个人吃自己的饭菜。有人说，这样吃饭很卫生 (wèishēng)。

世界上还有一些民族，他们不用筷子，也不用刀子和叉子。他们用手抓 (zhuā) 饭吃。

你用过筷子吗？你看见过中国人的家庭怎么吃饭吗？

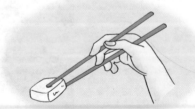

New words

1. 请客	qǐngkè	(v.)	treat sb. to ...
2. 点（菜）	diǎn (cài)	(v.)	to order (dishes)
3. 过	guo	(pt.)	*used after a verb or an adjective to indicate a past action or state*
4. 开（张）	kāi (zhāng)	(v.)	to open (a business)
5. 尝	cháng	(v.)	to taste
6. 挣钱	zhèngqián		to earn money
7. 民族	mínzú	(n.)	nationality
8. 饮食	yǐnshí	(n.)	diet
9. 习惯	xíguàn	(n.)	habit
10. 使用	shǐyòng	(v.)	to use
11. 餐具	cānjù	(n.)	tableware
12. 往往	wǎngwǎng	(adv.)	often; more often than not
13. 筷子	kuàizi	(n.)	chopstick
14. 吃饭	chīfàn	(v.)	to eat; to have meals
15. 中间	zhōngjiān	(n.)	middle
16. 夹	jiā	(v.)	to pick up; to press from both sides
17. 刀	dāo	(n.)	knife
18. 叉	chā	(n.)	fork
19. 卫生	wèishēng	(adj.)	good for health; hygienic
20. 抓	zhuā	(v.)	to take hold with fingers; to clutch

Proper nouns

墨西哥	Mòxīgē	Mexico
法国	Fǎguó	France
欧洲	Ōuzhōu	Europe

137

Class Exercises

1. Matching

Match the left and right columns according to the text, and then read the sentences.

(1) 马明想先挣钱   习惯用刀、叉吃饭。

(2) 中国人   用手抓饭吃。

(3) 欧洲人   然后再去尝法国菜。

(4) 有些民族   习惯用筷子吃饭。

2. Conversation practice

(1) Make new conversations according to the given example. Practice with a partner.

A：听说，西安饭馆的菜很好吃。

B：是吗？你去那儿吃过吗？

A：还没有。我叔叔告诉我那儿的菜做得不错。

① 长城饭店，王老师

② 四川饭店，Sam

③ 上海酒楼，Lisa

(2) In pairs discuss restaurants that you have been to or go to regularly.

3. Make a guess

Match the country's name and the pictures.

（寿司）   中国   （辣菜）

（炒菜）   日本   （长面包）

（牡蛎）   法国   （比萨饼）

                意大利

（生鱼片）   墨西哥   （饺子）

4. Use approximate numbers to answer these questions.

(1) 你有好朋友吗？

(2) 你有多少亲戚（qīnqi, relatives）?

(3) 你们学校有多少学生?

(4) 你们学校有多少老师?

5. My family's menu

Can you complete the following table of your family's daily diet with the words you have learned in the text? If you do not know how to write the characters, you can use *Pinyin,* or you can ask for help from your teacher.

	星期一 Monday	星期二 Tuesday	星期三 Wednesday	星期四 Thursday	星期五 Friday	星期六 Saturday	星期天 Sunday
早餐 breakfast							
午餐 lunch							
晚餐 dinner							

6. Class activity

What Food Shall You Eat?

Today you and your friends want to eat out, but what food shall you eat? Which restaurant's food is both good and cheap?

"你最喜欢吃哪个国家的菜？"

"你吃过多少次？"

"你觉得这种菜怎么样？"

"那个餐馆的菜便宜吗？好吃吗？"

7. Read and talk

Discuss: After reading the article below, discuss what different feelings you experience when eating foreign food. Why do you think you have such feelings?

"没吃饱"和饮食习惯

一些美国人在中餐馆吃完饭后还是觉得饿；一些中国人吃完西餐后觉得还没有吃饱。这是什么原因？

最近，一些社会学家①指出，饮食习惯和文化有关系。在一种文化中，上菜②有一定的顺序，吃完一道③菜就知道下一道菜是什么。当美国人见到咖啡、英国人见到茶、中国人见到汤（北方）或者米饭（南方），就知道菜已经上完了。有的美国人习惯把主菜④分为肉类⑤、蔬菜⑥和其他几个部分，最后用一份甜食⑦作为高潮⑧。他们在吃中餐时，不知道哪道菜是最重要的，还没有到高潮就吃完了，因此总是觉得有点饿，没有吃饱。

你呢，怎么样？吃外国菜时，也有没吃饱的感觉吗？

---

① sociologists	② serve food	③ course
④ main course	⑤ meat	⑥ vegetables
⑦ sweet food	⑧ climax	

An Idiom

只 要 功 夫 深，
zhǐ yào gōng fu shēn

铁 杵 磨 成 针。
tiě chǔ mó chéngzhēn

If you work at it hard enough, you can grind an iron rod into a needle — perseverance spells success.

Listen and Practice

1. Listening comprehension

(1) Decide whether the following statements are true or false after listening to the record.

   Key words:

   不同的地方 bùtóng de dìfang (different places / another place)

   差不多 chà bu duō (almost)

   True or false:

   ① 很多民族的饮食习惯差不多。   (F)

   ② 中国人吃饭的时候常常吃五六个菜。   (T)

   ③ 中国四川的菜和北京的菜差不多。   (F)

   ④ 中国人觉得大家一起吃饭很热闹。   (T)

(2) Answer the following questions after listening to the record.

   Key words:

   看电影 kàn diànyǐng (go to the movies)   黑胡子 hēi húzi (black beard)

   白头发 bái tóufa (white hair)   奇怪 qíguài (strange)

   出生 chūshēng (to be born)

   30 年以后 sānshí nián yǐhòu (30 years later)   长出 zhǎngchū (to grow (out))

Questions:

① 美 华 在 哪 里 看 见 了 黑 胡 子、白 头 发 的 人?
   měi huá zài nǎ li kàn jiàn le hēi hú zi bái tóu fa de rén

② 美 华 为 什 么 觉 得 奇 怪?
   měi huá wèi shén me jué de qí guài

③ 爸 爸 怎 么 回 答 美 华 的 问 题?
   bà ba zěn me huí dá měi huá de wèn tí

④ 美 华 明 白 了 什 么?
   měi huá míng bai le shén me

2. Read the following modern poem.

春 笋, 你 好!
chūn sǔn nǐ hǎo

在 我 的 记 忆 里, 年 年 春 天 你 来 得 最 早。
zài wǒ de jì yi li nián nián chūn tiān nǐ lái de zuì zǎo

几 场 春 雨 飘 洒, 春 天 的 竹 林 你 长 得 最 快。
jǐ cháng chūn yǔ piāo sǎ chūn tiān de zhú lín nǐ zhǎng de zuì kuài

在 我 屋 旁 的 竹 林 里, 你 邀 我 一 起 寻 找 绿 色 的 梦。
zài wǒ wū páng de zhú lín li nǐ yāo wǒ yì qǐ xún zhǎo lǜ sè de mèng

Hello, spring bamboo shoots!

In my memory, you're the one to come first every spring.

After the spring rains, you're the one to grow fastest in the spring woods.

In the woods where my hut is hiding, you invite me to pursue green dreams.

142

16 什么礼物最吉利

Text

Meiyun's puzzle

下 (xià) 个星期是安妮 (Ānní) 的生日，我打算送给她一件礼物。我想送给她一只小闹钟 (nàozhōng)，可是我听妈妈说过，送礼物不能送钟 (zhōng)，送钟是不吉利的。我想送她一把伞 (sǎn)，可是我也听说过，送伞也是不吉利的。所以我还 (hái) 没想好送什么。

以前过生日，我常常收到亲戚 (qīnqi) 们送给我的红包 (hóngbāo)。我听说，红色是吉利的颜色，我也可以用红包里的钱买我喜欢的东西。不过我更希望收到东西，因为看到这些 (zhèxiē) 东西，就会想 (xiǎng) 起 (qǐ) 送东西的人。

安妮会喜欢红包还是礼物呢?

New words

1. 下（个星期）	xià (ge xīngqī)	(n.)	next (week)
2. 闹钟	nàozhōng	(n.)	alarm clock
3. 钟	zhōng	(n.)	clock
4. 伞	sǎn	(n.)	umbrella
5. 还	hái	(adv.)	yet; still
6. 亲戚	qīnqi	(n.)	relative
7. 红包	hóngbāo	(n.)	a red paper envelope containing money as a gift, tip, or bonus
8. 这些	zhèxiē	(pron.)	these
9. 想	xiǎng	(v.)	to think
10. 起	qǐ	(v.)	(used after a verb) up; upwards; (here "of")

Proper noun

安妮	Ānní	Annie

Class Exercises

1. Rearrange the order

Rearrange the following words and phrases according to the texts and then write their numbers in the phoenix's tail to make a complete sentence.

(1) 安妮①　美云②　打算③　送给④　一件礼物⑤

(2) 还没①　美云②　送什么③　想好④

(3) 常常①　美云②　红包③　收到④

(4) 更希望①　美云②　收到③　东西④

144

2. Role play

(1) A: Lisa，祝你生日快乐！这是我给你的
    生日贺卡！希望你喜欢！

B: 这是我给你的小礼物，请收下吧！

Lisa: 谢谢你们！

（打开礼物）

Lisa: 啊，音乐盒！真漂亮，非常感谢！

B: 你打开听听。喜欢这首曲子吗？

Lisa: 是"To Alice"，我最喜欢的钢琴曲。太棒了！

A: 我们还打算在中国餐馆给你开个晚会，但是
   还没有想好去哪个餐馆。你有什么建议？

Lisa: 去哪儿都行。你们决定吧！我请客！

(2) In groups practice wishing someone a happy birthday.

3. Word classification

Classify the following words into 3 categories.

(1) 雨伞　(2) 筷子　(3) 钟　(4) 刀　(5) 新娘　(6) 蜡烛　(7) 鞭炮

(8) 叉　(9) 新郎　(10) 灯笼　(11) 叔叔　(12) 贺卡　(13) 网友　(14) 阿姨

Tableware ___2, 4, 8___   Objects ___1, 3, 6, 7, 10, 12___

People ___5, 9, 11, 13, 14___

4. Class activity

Discuss in your culture what kind of birthday and wedding gifts are most popular. Are certain gifts considered auspicious or unauspicious? Do you have gifts that symbolize something? Tell your classmates about any other customs related to giving gifts that are special to your culture.

Listen and Practice

Read and sing

掀 起 你 的 盖 头 来
xiān qǐ nǐ de gài tou lái

掀 起 了 你 的 盖 头 来， 让 我 看 你 的 眉 毛，
xiān qǐ le nǐ de gài tou lái ràng wǒ kàn nǐ de méi mao

你 的 眉 毛 细 又 长， 好 像 树 梢 的 弯 月 亮。
nǐ de méi mao xì yòu cháng hǎo xiàng shù shāo de wān yuè liang

掀 起 了 你 的 盖 头 来， 让 我 看 你 的 眼 睛，
xiān qǐ le nǐ de gài tou lái ràng wǒ kàn nǐ de yǎn jing

你 的 眼 睛 明 又 亮， 好 像 秋 波 一 般 样。
nǐ de yǎn jing míng yòu liàng hǎo xiàng qiū bō yì bān yàng

掀 起 了 你 的 盖 头 来， 让 我 看 你 的 脸 儿，
xiān qǐ le nǐ de gài tou lái ràng wǒ kàn nǐ de liǎn ér

你 的 脸 儿 红 又 圆， 好 像 苹 果 到 秋 天。
nǐ de liǎn ér hóng yòu yuán hǎo xiàng píng guǒ dào qiū tiān

Lift up Your Headkerchief

Lift up your headkerchief, and let me see your eyebrows,
They are so fine and neat, just like the crescent moon hanging on the treetop.
Lift up your headkerchief, and let me see your eyes,
They are so clear and bright, just like the autumn ripples.
Lift up your headkerchief, and let me see your cheeks,
They are so rosy and chubby, just like the autumn apples.

掀起你的盖头来

新疆维吾尔族民歌

1. 掀 起了你 的 盖 头来,   让 我 看 你的 眉   毛,
2. 掀 起了你 的 盖 头来,   让 我 看 你的 眼   睛,
3. 掀 起了你 的 盖 头来,   让 我 看 你的 脸   儿,

你 的 眉 毛 细 又 长 啊, 好 像那树 梢的 弯 月 亮,
你 的 眼 睛 明 又 亮 啊, 好 像那秋 波 一 般 样,
你 的 脸 儿 红 又 圆 啊, 好 像那苹 果 到 秋 天,

你 的 眉 毛 细 又 长 啊, 好 像那树 梢的 弯 月 亮。
你 的 眼 睛 明 又 亮 啊, 好 像那秋 波 一 般 样。
你 的 脸 儿 红 又 圆 啊, 好 像那苹 果 到 秋 天。

Reading

1. 杰克夸新娘

杰克：您的新娘长得很漂亮。

新郎：哪里，哪里。

杰克：她的眼睛、鼻子（bízi, nose）都长得非常漂亮。

新郎：哪里，哪里。

杰克：她的眉毛（méimao, eyebrow）也很漂亮。

新郎：哪里，哪里。

杰克：她每个地方都很漂亮。

美云：杰克，你让我叔叔很不好意思 (bù hǎoyìsi, embarrassed)。

杰克：不可能，他一直在问我"哪里，哪里"。

2. 塞翁失马

古时候，有个老人 (lǎorén, old man) 住在边塞地区 (biānsài dìqū, frontier area)。他家有一匹马。有一天，这匹马跑到邻国 (línguó, neighbor country) 去了，邻居们都来安慰 (ānwèi, comfort) 他。他说："这不一定是坏事 (huàishì, a bad thing)。"过了几天，这匹马回来了，还带回来一匹好马。邻居都来祝贺 (zhùhè, congratulate)，老人又说："这也不一定是好事 (hǎoshì, a good thing)。"

3. 狐假虎威

一只老虎很饿，它抓住 (zhuāzhù, catch) 了一只狐狸 (húli, fox)。可是狐狸说："我是上帝的使者 (Shàngdì de shǐzhě, God's messenger)，你不能吃我。"老虎不相信，狐狸说："我在前面走，你跟在我后面，你看野兽 (yěshòu, wild beast) 们怕不怕 (pàbupà, be afraid or not) 我。"老虎同意了。它们走在路上，野兽们看见它们都跑了。老虎相信 (xiāngxìn, believe) 了狐狸的话。

Writing

Make some cards for the Spring Festival and write down some season's greetings in Chinese.

Unit Language Practice

In groups of 3-4 conduct a survey to make a comparison between Chinese culture and the western culture. Collecting data by interviewing older people etc. Write a survey report.

两种文化、两种习俗的调查

Survey on Two Cultures and Two Customs

	中国传统节日 traditional Chinese festivals	西方传统节日 traditional western festivals	生日 birthday		婚礼 wedding	
			中式 Chinese	西式 western	中式 Chinese	西式 western
习俗 customs						
常见的吉祥颜色、礼物 common lucky colors and gifts						

149

UNIT SUMMARY

FUNCTIONAL USAGE

1. Discussing customs

中 国 人 在 有 喜 事
zhōng guó rén zài yǒu xǐ shì
的 时 候 放 鞭 炮。
de shí hou fàng biān pào

2. Dissuading

别 开 玩 笑 了。
bié kāi wán xiào le

3. Guessing and estimating

他 的 性 格 可 能 很 开 朗。
tā de xìng gé kě néng hěn kāi lǎng
他 可 能 读 了 很 多 书。
tā kě néng dú le hěn duō shū

4. Approximating numbers

他 点 了 六 七 个 菜。
tā diǎn le liù qī ge cài
我 们 班 有 三 四 十 人。
wǒ men bān yǒu sān sì shí rén

GRAMMAR FOCUS

Sentence pattern　　　　　*Example*

1　VV：

你 可 以 夸 夸 他 的 新 娘。
nǐ　kě　yǐ　kuā　kua　tā　de　xīn niáng

2　着：
zhe

桌 子 上 摆 着 红 色 的 蜡 烛。
zhuō　zi　shang bǎi　zhe　hóng　sè　de　là　zhú

3　要：
yào

孩 子 们 要 帮 父 母 打 扫 房 间。
hái　zi　men　yào bāng fù　mǔ　dǎ sǎo fáng jiān

4　动＋名＋动＋补：

他 讲 故 事 讲 得 很 好。
tā jiǎng gù shi jiǎng de hěn hǎo

5　过：
guo

我 吃 过 日 本 菜。
wǒ　chī guo　rì　běn　cài

CHINESE CHARACTERS REVIEW

汉字 Chinese character	拼音 *Pinyin*	词语组合 Language composition
笼 竹龙	lóng	灯笼　笼子
鞭 革便	biān	鞭子　鞭炮
响 口向	xiǎng	音响　响动　响应
恭 共心	gōng	恭敬　恭喜
夸 大亏	kuā	夸奖
新 亲斤	xīn	新鲜
花 艹化	huā	鲜花　花钱
墙 土啬	qiáng	墙上　墙壁
摆 扌罢	bǎi	摆放　摆设　摆动
姨 女夷	yí	阿姨　姨妈
传 亻专	chuán	宣传　传统　传说
钱 钅戋	qián	钱币　花钱
使 亻吏	shǐ	使用
礼 礻乚	lǐ	礼物　礼貌　礼节
物 牛勿	wù	礼物　事物

Unit Five

Diet and Health

17 我把菜谱带来了

Getting Started

Read the following recipe and then tell how to cook this dish.

一份菜谱 (A Recipe)

原料：豆腐300克、牛肉50克

作料：红辣椒4个、花生油20克、盐8克、
水淀粉5克、酱油10克、花椒粉2克、
大蒜3瓣

做法：

(1) 把豆腐切成方块

(2) 把牛肉、蒜、辣椒切碎

(3) 把锅放在火上，放油

(4) 油热以后，炒牛肉，然后放辣椒、蒜

(5) 放豆腐煮2分钟，放水淀粉，花椒粉

Ingredients: tofu 300g、beef 50g

Condiments: red chilli peppers 4、peanut oil 20g、salt 8g、water starch 5g、
soy sauce 10g、Chinese prickly powder 2g、garlic 3 pieces

Methods:

(1) Dice the tofu;

(2) Chop the beef, the garlic and the peppers into small pieces;

(3) Put a wok on the heat and then pour in the oil;

(4) After the oil is heated up, stir-fry the beef and then add the pepper and garlic;

(5) Boil the tofu for 2 minutes and then put in the water starch and the Chinese prickly powder.

Text 1

Ma Ming and Meiyun come to Jack's home. They are going to cook Chinese food together...

马明：　时间不早了，我们该吃饭了。

杰克：　我们自己做吧。你们说过要教 (jiāo) 我做中国菜，是不是忘了？

马明：　没忘。我应该先学会了，再教你。可是我还没学会呢！

美云：　没关系 (méi guānxi)，我们一起学。你们看，我把菜谱 (càipǔ) 带来了。

马明：　那太好了。我们选一个简单 (jiǎndān) 的菜吧。

美云：　麻婆豆腐 (mápó dòufu) 怎么样？

杰克：　好，现在我们听你的。

美云：　马明，你来切 (qiē) 豆腐，把豆腐切成方块 (fāngkuài)。杰克，你把锅 (guō) 拿来，别忘了拿作料 (zuóliao) 来。

Text 2

Can you cook Chinese food?

你会做中国菜吗？如果你想学习做中国菜，你应该先找到一个菜谱，然后把需要的原料 (yuánliào) 买来，把它们 (tāmen) 洗干净。洗好以后，按照 (ànzhào) 菜谱把原料切好，准备好作料再开始 (kāishǐ) 做。中国菜重视 (zhòngshì) 色、香、味 (sè、xiāng、wèi)。例如"鱼香肉丝" (yúxiāng ròusī)，有漂亮的红色和黄色，鱼 (yú) 一样的香味 (xiāngwèi) 和又酸 (suān) 又辣 (là) 的味道 (wèidao)。你想不想尝尝？

New words

1. 教	jiāo	(v.)	to teach
2. 没关系	méi guānxi		it doesn't matter
3. 菜谱	càipǔ	(n.)	recipe
4. 简单	jiǎndān	(adj.)	simple
5. 麻婆豆腐	mápó dòufu	(n.)	pockmarked grandma's tofu
6. 切	qiē	(v.)	to cut; to chop
7. 方块	fāngkuài	(n.)	square piece
8. 锅	guō	(n.)	pot; wok
9. 作料	zuóliao	(n.)	condiments; seasonings
10. 原料	yuánliào	(n.)	raw material; ingredient
11. 它们	tāmen	(pron.)	they; them (*referring to things or animals*)
12. 按照	ànzhào	(prep.)	according to
13. 开始	kāishǐ	(v.)	to start; to begin
14. 重视	zhòngshì	(v.)	to attach importance to; to pay attention to
15. 色、香、味	sè、xiāng、wèi		color, smell and flavor
16. 鱼香肉丝	yúxiāng ròusī	(n.)	fish-flavored shredded pork
17. 鱼	yú	(n.)	fish
18. 香味	xiāngwèi	(n.)	delicious / fragrant scent
19. 酸	suān	(adj.)	sour
20. 辣	là	(adj.)	chilli; hot
21. 味道	wèidao	(n.)	flavor; taste

Class Exercises

1. Matching

Match the left and right columns according to the text.

(1) 美云、马明和杰克   把菜谱带来了。

(2) 美云   又酸又辣。

(3) 马明想自己先学会   打算做麻婆豆腐。

(4) 鱼香肉丝   然后再教杰克。

2. Conversation practice

Make new conversations according to the given example. Practice with a partner.

A：你说过要请我吃饭，别忘了！

B：啊，对不起，现在我记住了。我们明天去好吗？

A：太好了！今天晚上给我打电话，我们决定时间。

> ① 看电影
> ② 喝茶
> ③ 喝咖啡

3. Picture description

What do they do first, what then after school?

Example: Tom 先打球，然后回家。

Emma _____

Tom _____

Emma _____

4. Class activity

> **My Class Luncheon Party**
>
> Organize a luncheon party in class. Each student will bring a self-cooked dish to class and share it with other classmates. Write down your recipe in Chinese and make a book of all the recipes for each student to keep as a souvenir.

Idioms and Ancient Stories

邯 郸 学 步
hán dān xué bù

Learn the Handan walk — in trying to acquire a new trick, lose the ability one already has.

Listen and Practice

1. Listening comprehension

(1) Decide whether the following statements are true or false after listening to the record.

Key words:

中国菜 Zhōngguó cài (Chinese food)

洗豆腐 xǐ dòufu (to wash the tofu)

做一次试试 zuò yí cì shìshi (to have a try)

True or false:

① 杰克和美云来到马明家，他们要学习做中国菜。　(F)

② 他们要学习做麻婆豆腐。　(T)

③ 马明拿来了锅和豆腐。　(F)

④ 麻婆豆腐的颜色是黄色和白色。　(T)

⑤ 麻婆豆腐的味道不太辣。　(F)

(2) Answer the following questions after listening to the record.

Key words:

晚饭　wǎnfàn　(dinner)

洗碗　xǐ wǎn　(to wash dishes)

看电视　kàn diànshì　(to watch TV)

盘子摔碎　pánzi shuāisuì　(the plate dropped and was broken)

姐姐　jiějie　(elder sister)

Questions:

① 妈　妈　和　美　云　在　哪　里？　In the kitchen.
　　mā　ma　hé　měi　yún　zài　nǎ　li

② 爸　爸　和　美　华　在　哪　里？　Watching TV.
　　bà　ba　hé　měi　huá　zài　nǎ　li

③ 厨　房　里　有　什　么　声　音？　Plates broke.
　　chú　fáng　li　yǒu　shén　me　shēng　yin

④ 美　华　为　什　么　说　是　妈　妈　摔　碎　了　盘　子？
　　měi　huá　wèi　shén　me　shuō　shì　mā　ma　shuāi　suì　le　pán　zi

2. **Read the following ancient poem.**

北　风　卷　地　白　草　折，胡　天　八　月　即　飞　雪。
běi　fēng　juǎn　dì　bái　cǎo　zhé　hú　tiān　bā　yuè　jí　fēi　xuě

忽　如　一　夜　春　风　来，千　树　万　树　梨　花　开。
hū　rú　yí　yè　chūn　fēng　lái　qiān　shù　wàn　shù　lí　huā　kāi

> Snapping the pallid grass, the northern wind whirls low;
>
> In the eighth moon the Tartar sky is filled with snow.
>
> As if the vernal breeze had come back overnight,
>
> Adorning thousands of pear trees with blossoms white.

18 一次体检

Getting Started

How is the health of the person indicated in the physical examination form?

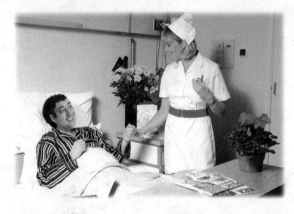 

姓 名 xìng míng	性 别 xìng bié	年 龄 nián líng	职 业 zhí yè	住 址 zhù zhǐ
马 照 明 mǎ zhào míng	男 nán	48	工 程 师 gōng chéng shī	春 田 市 81 街 2351 号 chūn tián shì jiē hào
心 脏 xīn zàng	肺 部 fèi bù	血 液 xuè yè	大 便 dà biàn	小 便 xiǎo biàn
心 电 图 xīn diàn tú 不 正 常 bú zhèng cháng	X 光 guāng 照 片 zhào piàn			

Name	Gender	Age	Occupation	Address
Ma Zhaoming	Male	Forty eight	engineer	No. 2351, 81st street, Springfield City
Heart	**Lung**	**Blood**	**Stool**	**Urine**
Electrocardiogram abnormal	X-ray film			

Text 1

Ma Ming's parents dispute.

马太太： 你今天见到张医生了吗?

马先生： 见到了。他给我检查了身体,还化验 (huàyàn) 了血 (xiě)。

马太太： 结果 (jiéguǒ) 怎么样?

马先生： 问题不大。血的化验结果还没看到, 这是心脏和肺 (fèi) 的检查结果。

马太太： 谁说问题不大^①, 你的心脏以前就不好, 现在肺也有问题了。

马先生： 别大惊小怪 (dà jīng xiǎo guài) 的,这点儿小问题没什么。

马太太： 这不是小问题。你应该戒 (jiè) 烟 (yān), 也别再喝酒 (jiǔ) 了。

马先生： 没那么严重 (yánzhòng) 吧。

马太太： 等到严重就晚了。

———————————
① 谁说问题不大 Who says the problem is not big? (stressing "the problem is really serious")

Text 2

Ma Ming is telling his friends about one of his father's physical examinations ...

我爸爸昨天到医院 (yīyuàn) 做了一次体检 (tǐjiǎn)。他以前心脏不太好,现在肺也有点儿问题了。医生让他戒烟,还建议他经常锻炼身体,去郊外 (jiāowài) 呼吸 (hūxī) 新鲜 (xīnxiān) 空气 (kōngqì)。可是他总是觉得自己的健康 (jiànkāng) 没有那么糟糕,他认为 (rènwéi) 医生说得太严重了。他回到家,把这个情况告诉了妈妈。妈妈很吃惊 (chījīng),看到爸爸的态度,她也很生气。

New words

1. 化验	huàyàn	(n.)&(v.)	laboratory test
2. 血	xiě	(n.)	blood
3. 结果	jiéguǒ	(n.)	result
4. 肺	fèi	(n.)	lung
5. 大惊小怪	dà jīng xiǎo guài		be surprised or alarmed at sth. quite normal; make a fuss about nothing
6. 戒	jiè	(v.)	to give up; to drop; to stop
7. 烟	yān	(n.)	cigarette; pipe tobacco or smoke
8. 酒	jiǔ	(n.)	alcoholic drink
9. 严重	yánzhòng	(adj.)	serious
10. 医院	yīyuàn	(n.)	hospital
11. 体检	tǐjiǎn	(n.)	physical examination
12. 郊外	jiāowài	(n.)	suburbs; outskirts
13. 呼吸	hūxī	(v.)	to breathe
14. 新鲜	xīnxiān	(adj.)	fresh
15. 空气	kōngqì	(n.)	air
16. 健康	jiànkāng	(n.)	health
17. 认为	rènwéi	(v.)	to think
18. 吃惊	chījīng	(v.)	be startled; be shocked; be amazed

Class Exercises

1. Rearrange the order

Rearrange the following words and phrases according to the texts and then write their numbers in the phoenix's tail to make a complete sentence.

(1) 见到① 马先生了② 张医生③

(2) 已经① 看到了② 马先生③ 检查结果④

(3) 马太太① 问题② 觉得③ 很严重④

(4) 马先生① 觉得② 大惊小怪③ 马太太④

2. Picture description

Dad would not listen to any advice...

①

②

3. Role play

(1)   A: 最近我总是觉得很累，睡觉也睡得不太好。

       B: 问题不大，可能是太累了，好好休息休息！

(2)   A: 大夫，这是我的检查结果。您看有问题吗？

       B: 没什么问题。你的身体不错。

(3)   A: 你看到美云了没有？

       B: 没有。她还没有来吗？

       A: 是啊，真让人着急。我已经等了20分钟了。

       B: 别着急！问题不大，也许她很快就会到的。

4. Class activity

My Health Form （健 康 卡）

Use Chinese to make a health form. Discuss which life style habits help to maintain good health.

姓名 赵安   身高 5'4" (米)   体重 110lb (公斤)

最近体检时的健康情况：　非常好　比较好　一般　有一点儿问题　问题很严重

	非常好	比较好	一般	有一点儿问题	问题很严重
	☐	☑	☐	☐	☐

	经常	有时候	很少
生活习惯：锻炼身体吗？	☑	☑	☐
早睡早起吗？	☑	☐	☑
喝酒吗？	☐	☐	☑
抽烟吗？	☐	☐	☑
喜欢生气吗？	☐	☐	☑
心情愉快吗？	☑	☐	☐
其他	☐	☐	☐

Idioms and Ancient Stories

自 相 矛 盾
zì xiāngmáo dùn

Contradict oneself

Listen and Practice

1. Listening comprehension

(1) Decide whether the following statements are true or false after listening to the record.

Key words:

请问您是哪一位 qǐngwèn nín shì nǎ yí wèi (who is it)

丈夫 zhàngfu (husband)

心脏病 xīnzàngbìng (heart disease)

跟他谈 gēn tā tán (talk with him)

True or false:

① 这是马医生和张太太的谈话。 (F)

② 马先生的身体不太好。 (T)

③ 马先生吸烟，他也喝酒。 (T)

④ 马先生认为自己的身体很糟糕。 (F)

⑤ 医生建议马先生经常锻炼身体。 (T)

(2) Answer the following questions after listening to the record.

Key words:

下班的路上 xiàbān de lù shang (on the way home from work)

强盗 qiángdào (robbers)

全部的钱 quánbù de qián (all the money)

一张 100 块的钱 yì zhāng yìbǎi kuài de qián (a 100-dollar bill)

太太 tàitai (Mrs.)

相信 xiāngxìn (believe)

抢钱 qiǎngqián (to rob sb. of money)

Questions:

① 张 先 生 遇 到 了 谁?
zhāng xiān sheng yù dào le shuí   robber

② 张 先 生 有 多 少 钱?
zhāng xiān sheng yǒu duō shao qián $100

③ 张 先 生 的 太 太 会 不 会 相 信 他 遇 到 了 强 盗?   no
zhāng xiān sheng de tài tai huì bu huì xiāng xìn tā yù dào le qiáng dào

④ 强 盗 的 太 太 会 不 会 相 信 强 盗 没 有 抢 到 钱?   no
qiáng dào de tài tai huì bu huì xiāng xìn qiáng dào méi yǒu qiǎng dào qián

⑤ 张 先 生 和 强 盗 都 害 怕 什 么 人?   their wife
zhāng xiān sheng hé qiáng dào dōu hài pà shén me rén

2. Read the following tongue twister.

南 边 来 个 老 伯，手 里 提 面 铜 锣。
nán bian lái ge lǎo bó shǒu li tí miàn tóng luó

北 边 来 个 老 婆 儿，提 着 一 篮 香 蘑。
běi bian lái ge lǎo pór tí zhe yì lán xiāng mó

老 伯 要 用 铜 锣 换 老 婆 儿 的 香 蘑，
lǎo bó yào yòng tóng luó huàn lǎo pór de xiāng mó

老 婆 儿 只 要 香 蘑，不 要 老 伯 的 铜 锣。
lǎo pór zhǐ yào xiāng mó bú yào lǎo bó de tóng luó

老 伯 生 气 敲 铜 锣，老 婆 儿 笑 着 卖 香 蘑。
lǎo bó shēng qì qiāo tóng luó lǎo pór xiào zhe mài xiāng mó

老 伯 敲 破 了 锣，老 婆 儿 卖 完 了 蘑。
lǎo bó qiāo pò le luó lǎo pór mài wán le mó

An old man came from the south, holding a bronze gong.

An old woman came from the north, holding a basket of mushrooms.

The old man wanted to exchange the bronze gong for the old woman's mushrooms,

What the old woman wanted was not the bronze gong but the mushrooms alone.

The old man hit the gong in anger; the old woman sold the mushrooms with a smile.

The old man broke the gong; the old woman sold all the mushrooms.

169

19　妈妈减肥

Getting Started

Do you often look at ads for weightloss and dieting products? Do you believe these ads? Why?

淑女减肥茶

如果您希望自己永远 (yǒngyuǎn) 年轻、漂亮、苗条 (miáotiao)，请喝"淑女减肥茶" (shūnǚ jiǎnféi chá)，它是用天然 (tiānrán) 的中草药 (zhōngcǎoyào) 制成的。

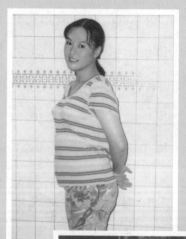

Text 1

Food and diet.

李太太：美云，美华，吃饭了。

美　华：妈妈，今天晚饭我们吃什么？

李太太：红烧肉 (hóngshāo ròu)、香酥鸡 (xiāngsū jī)，还有一条大
　　　　鲤鱼 (lǐyú)。

美　云：又是红烧肉！太腻 (nì) 了。

李太太：一点儿也不腻。吃红烧肉还可以美容 (měiróng) 呢。

美　云：我不爱吃红烧肉，你们吃吧。

李太太：我这几天吃得太多了，以后不再吃了。我该减肥了。

李先生：昨天你说不再吃了，可是今天又吃了。你这是自相矛盾
　　　　(zìxiāng máodùn)。

Text 2

Acting in a way that defeats one's purpose — Meiyun is telling a story about her mother trying to lose weight...

妈妈又从卧室拿出许多衣服。我知道，她又长胖了，以前的衣服已经不能穿了。她常常说："我该减肥了。"她也常常看减肥广告，了解新的减肥方法 (fāngfǎ)。可是每次上街 (shàngjiē)，她都买回来许多好吃的东西，比如巧克力 (qiǎokèlì)、奶油蛋糕(nǎiyóu dàngāo) 什么的。每天做饭，她都做许多好吃的，妈妈最爱吃红烧肉。最近她正在了解怎样 (zěnyàng) 用中药 (zhōngyào)减肥呢。我爸爸说她这是 "南辕北辙 (nán yuán běi zhé)"。你知道 "南辕北辙"是什么意思 (yìsi) 吗？

172

New words

1. 红烧肉	hóngshāo ròu	(n.)	pork braised in brown sauce
2. 香酥鸡	xiāngsū jī	(n.)	crispy fried chicken
3. 鲤鱼	lǐyú	(n.)	carp
4. 腻	nì	(adj.)	oily; greasy
5. 美容	měiróng	(v.)	to improve one's looks
6. 自相矛盾	zìxiāng máodùn		contradict oneself
7. 方法	fāngfǎ	(n.)	method
8. 上街	shàngjiē	(v.)	go shopping
9. 巧克力	qiǎokèlì	(n.)	chocolate
10. 奶油蛋糕	nǎiyóu dàngāo	(n.)	cream cake
11. 怎样	zěnyàng	(pron.)	how
12. 中药	zhōngyào	(n.)	Chinese medicine
13. 南辕北辙	nán yuán běi zhé		try to go south by driving the chariot north–act in a way that defeats one's purpose
14. 意思	yìsi	(n.)	meaning

Class Exercises

1. Conversation practice

Make sentences with the given words as in the example.

Example: 吃，红烧肉，腻

A: 来，吃点儿红烧肉吧。

B: 我不想吃，红烧肉太腻了。

A: 谁说的？红烧肉一点也不腻！

B: 那你自己吃吧！

① 喝，咖啡，苦

② 吃，奶油蛋糕，腻

③ 吃，巧克力，甜

173

2. Use " 又 " to complete the sentences.

(1) 他刚喝了咖啡，现在 _____。

(2) 他昨天吃了蛋糕，今天 _____。

(3) 她上个星期买了衣服，这个星期 _____。

(4) 他刚换了衣服，现在 _____。

3. Do you think it is good to lose weight?

妈妈：减肥好，瘦了以后更漂亮。

爸爸：减肥对身体不好，吃减肥药不安全。

美云：减肥好，买衣服更容易。

美华：减肥不好，要花很多钱和时间。

你觉得减肥好不好？

4. Role play

Mum's Diet Plans

①

唉！我又长胖了，我该减肥了！

(Try to act in front of a mirror, stroke your face, hold your waist, then shake your head and say...)

②

这种药不错，用中药减肥，对身体没有副作用。

(When eating chocolates, pay attention to the gradual change: first firmly decide to eat one piece only, then hesitate due to the temptation, finally eat a lot and decide to lose weight later.)

5. Class activity

Diet and Weight Loss

减 肥 必 须 控 制 的 食 物
jiǎn féi bì xū kòng zhì de shí wù

Food that should be eaten in moderation when dieting.

肉类： 猪 肉
　　　　zhū ròu

主食： 米 　 面 粉 　 蛋 糕
　　　　mǐ 　 miàn fěn 　 dàn gāo

酒： 啤 酒 　 葡 萄 酒 　 白 酒
　　　pí jiǔ 　 pú táo jiǔ 　 bái jiǔ

水果： 西 瓜 　 梨 　 葡 萄 　 桃
　　　　xī guā 　 lí 　 pú táo 　 táo

糖： 巧 克 力 　 糖 　 甜 饮 料 　 口 香 糖
　　　qiǎo kè lì 　 táng 　 tián yǐn liào 　 kǒu xiāng táng

有 利 于 减 肥 的 食 物
yǒu lì yú jiǎn féi de shí wù

Food that is suitable for dieting.

蔬 菜： 黄 瓜 　 冬 瓜 　 茄 子 　 萝 卜 　 西 红 柿
　　　　huáng guā 　 dōng guā 　 qié zi 　 luó bo 　 xī hóng shì

胡 萝 卜 　 白 菜 　 芹 菜 　 芦 笋 　 辣 椒
hú luó bo 　 bái cài 　 qín cài 　 lú sǔn 　 là jiāo

Check out which kinds of food you like in the red light category (which should be taken as little as possible); which kinds of food you like in the green light category (which should be taken as much as possible). Do you know how to make one slimmer and healthier from diet?

176

Idioms and Ancient Stories

南 辕 北 辙
nán yuán běi zhé

Try to go south by driving the chariot north
— act in a way that defeats one's purpose.

Listen and Practice

1. Listening comprehension

(1) Decide whether the following statements are true or false after listening to the record.

Key words:

饭馆 fànguǎn (restaurant)

心情好 xīnqíng hǎo (in a good mood)

心宽体胖 xīn kuān tǐ pán (fit and happy)

广告 guǎnggào (advertisement)

True or false:

① 饭馆做的红烧鲤鱼比我太太做的好吃。 (F)

② 因为她喜欢吃，所以她很胖。 (T)

③ 我太太每次上街都买回来很多衣服。 (F)

④我喜欢吃肉，也喜欢吃糖。 (F)

⑤ 我太太常常了解减肥的方法。 (T)

(2) Answer the following questions after listening to the record.

Key words:

顾客 gùkè (customer)

新建的大楼 xīn jiàn de dàlóu (a new building)

座 zuò (a measure word for mountains, buildings etc.)   层 céng (storey)

价钱 jiàqián (price)   管理员 guǎnlǐyuán (a manager)

满意 mǎnyì (satisfied)   第五层 dì wǔ céng (the fifth floor)

Questions:

① 这 座 大 楼 一 共 有 几 层?
   zhè zuò dà lóu yí gòng yǒu jǐ céng

② 每 一 层 的 价 钱 是 多 少?
   měi yì céng de jià qián shì duō shao

③ 顾 客 对 这 座 大 楼 满 意 吗?
   gù kè duì zhè zuò dà lóu mǎn yì ma

④ 顾 客 为 什 么 想 住 在 第 五 层?
   gù kè wèi shén me xiǎng zhù zài dì wǔ céng

2. Read the following modern prose.

盼 望 着，盼 望 着，东 风 来 了，春 天 的 脚 步 近 了。
pàn wàng zhe   pàn wàng zhe dōng fēng lái le chūn tiān de jiǎo bù jìn le

一 切 都 像 刚 睡 醒 的 样 子，欣 欣 然 张 开 了 眼。山
yí qiè dōu xiàng gāng shuì xǐng de yàng zi xīn xīn rán zhāng kāi le yǎn shān

朗 润 起 来 了，水 涨 起 来 了，太 阳 的 脸 红 起 来 了。
lǎng rùn qǐ lái le shuǐ zhǎng qǐ lái le tài yáng de liǎn hóng qǐ lái le

> In our longing, the east wind is coming and the spring approaching.
>
> Everything is joyfully opening its eyes as if it were just awakening.
>
> Mountains are greening; waters are rising and the sun's face is reddening.

20 胖子和瘦子

Text

　　从前有两个好朋友，一个长得很胖，大家 (dàjiā) 都叫他胖子 (pàngzi)；另一个长得很瘦，大家叫他瘦子 (shòuzi)。他们住

在一个城市里。这个城市里的人喜欢赶时髦 (gǎn shímáo)。有一天，他们看到胖子穿着一件又宽 (kuān) 又大的衣服，觉得很帅。第二天，很多人也都开始穿又宽又大的衣服。可是他们没有那么胖，穿上这样 (zhèyàng) 的衣服不好看。所以，他们都来问胖子，怎么能长胖一点儿。大家都开始羡慕胖子，尊敬 (zūnjìng) 胖子。胖子变 (biàn) 成了城市里最有名 (yǒumíng) 的人。

　　可是瘦子还是穿着又瘦又小的衣服。胖子觉得奇怪 (qíguài)，他问瘦子："你没看到别人都学我吗？你是我的朋友，你为什么不学我的样子呢？"瘦子说："如果我也学你的样子，大家以后就找不到榜样 (bǎngyàng) 了。"过了一年，人们开始觉得又宽又大的衣服穿着不方便 (fāngbiàn)，觉得瘦子的衣服穿着更精神 (jīngshen)、更好看。所以，他们又都开始羡慕瘦子，尊敬瘦子了。瘦子又变得有名了。

胖子有点儿失望 (shīwàng)，但是觉得还不错，虽然他不再有名①，但是有名的人是他最好的朋友。

New words

1. 大家	dàjiā	(pron.)	everyone
2. 胖子	pàngzi	(n.)	a fat person
3. 瘦子	shòuzi	(n.)	a thin person
4. 赶时髦	gǎn shímáo		follow the fashion; try to be in style
5. 宽	kuān	(adj.)	loose
6. 这样	zhèyàng	(pron.)	like this
7. 尊敬	zūnjìng	(v.)	to respect
8. 变（成）	biàn (chéng)	(v.)	to become
9. 有名	yǒumíng	(adj.)	famous; well-known
10. 奇怪	qíguài	(adj.)	surprised; strange
11. 榜样	bǎngyàng	(n.)	example; model
12. 方便	fāngbiàn	(adj.)	convenient
13. 精神	jīngshen	(adj.)	smart; lively; spirited
14. 失望	shīwàng	(v.)	to be disappointed

Class Exercises

1. Matching

Match the left and right columns according to the text.

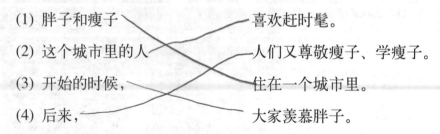

(1) 胖子和瘦子　　　　　　喜欢赶时髦。

(2) 这个城市里的人　　　　人们又尊敬瘦子、学瘦子。

(3) 开始的时候，　　　　　住在一个城市里。

(4) 后来，　　　　　　　　大家羡慕胖子。

---

①不再有名 no longer famous。

180

2. Picture description

Use the following vocabulary to describe the people in the picture.

瘦　　胖　　好看　　精神　　时髦

尊敬　　羡慕　　又宽又大　　又瘦又小

3. Word classification

Classify the following words into 3 categories.

(1) 胖子　(2) 豆腐　(3) 医生　(4) 切　(5) 瘦子　(6) 病人　(7) 鲤鱼

(8) 工程师　(9) 奶油蛋糕　(10) 巧克力　(11) 红烧肉　(12) 拿　(13) 上街

People 1,3,5,6,8   Food 7,9,10,11,2

Action 4,12,13

4. Class activity

Survey at least 10 persons which way for losing weight is better. Report the result to the class.

Listen and Practice

Read and sing

大 坂 城 的 姑 娘
dà　bǎn chéng de　gū niang

大　坂　城　的　石　路　平　又　平　啊，西　瓜　大　又　甜　啊。
dà bǎn chéng de　shí　lù　píng yòu píng a　xī　guā　dà　yòu tián a

那　里　出　的　姑　娘 辫　子　长　啊，两　个　眼　睛　真　漂　亮。
nà　li　chū　de　gū niang biàn　zi cháng a　liǎng ge　yǎn jīng zhēn piào liang

你 要 是 嫁 人 不 要 嫁 给 别 人， 一 定 要 嫁 给 我，
nǐ yào shi jià rén bú yào jià gěi bié rén yí dìng yào jià gěi wǒ

带 着 你 的 钱 财， 领 着 你 的 妹 妹， 赶 上 那 马 车 来。
dài zhe nǐ de qián cái lǐng zhe nǐ de mèi mei gǎn shàng nà mǎ chē lái

大坂城的姑娘

维吾尔族民歌

大坂城的石路 平又平啊，西瓜大又 甜 啊。

那里出的姑娘 辫子长啊，两个眼睛真漂 亮。

你要是嫁人 不要嫁给别人，一定要 嫁给 我，

带着你的钱 财，领着你的妹 妹，赶上那马车 来。

Daban's Girls

Daban's roads are flat and flat, its watermelons are sweet.

Daban's girls have long hairs, their eyes are really pretty.

If you marry don't marry another, be sure to marry me.

Bring your wealth, bring your younger sister, come by horse and carriage.

Reading

1. 邯郸学步

从前有个人，他听说邯郸的人走路（zǒulù, to walk）的样子很好看，就决定去邯郸学那里的人走路。他到了邯郸，每天跟在别人的后面（hòumian, back; behind）学习走路。学了很长时间，他还是没有学会，而且把自己原来（yuánlái, previous）走路的方法也忘了，最后只好（zhǐhǎo, have to）爬着回家了。

2. 自相矛盾

古时候有个人，他卖矛（máo, spear），也卖盾（dùn, shield）。别人来买矛的时候，他就夸（kuā, brag）自己的矛。他说："我的矛可以刺穿（cìchuān, stab through）所有（suǒyǒu, all）的盾。"顾客来买盾的时候，他又夸自己的盾。他说："所有的矛都不能刺穿我的盾。"这时候，有一个人问他："如果用你的矛刺你的盾呢？"这个人不能回答了。

3. 南辕北辙

古时候有个人，他赶着马车（gǎnzhe mǎchē, drive a horse-drawn carriage）向北走。他告诉别人，自己要到楚国（Chǔguó, Chu (a state's name)）去。别人告诉他，楚国在南方（nánfāng, south），应该向南走。可是他说："我有最好的马，也有最好的车。"又有人告诉他："你的方向（fāngxiàng, direction）错了，去楚国应该向南走。"可是他又说："我有很多钱。"事实（shìshí, in fact）上，他的马越好，他的钱越多，他离（lí, to leave）楚国就越远。

Writing

Copy down a recipe and introduce it to the class.

口袋豆腐汤

主料：
豆腐辅料：油菜心、海米、肉馅、草菇、海带丝；
调料：
盐、葱、姜、料酒、酱油、鸡精、高汤、食用油；
做法：
1、将豆腐切成长方形块，海米、草菇、葱、姜洗净切成末，油菜心洗净；
2、坐锅点火倒油，油温6-7成热时，放入豆腐块炸至两面金黄色捞出放入热水中泡软；
3、锅内留余油，油温5成热时，放入葱姜末、肉馅炒至变色加入料酒、酱油、盐、海米末、草菇末翻炒均匀盛入盘中待用；
4、将豆腐上端用刀切一个口，添入炒好的肉馅，用海带丝系好；
5、坐锅点火放入高汤、豆腐、少许盐、鸡精、油菜心，开锅后倒入汤盘中即可食用。

特点：造型美观，汤鲜味浓。

Unit Language Practice

	优点 (merits)	方法	合适(suitable)的运动量	你喜欢哪种？
步行				
慢跑				
跳绳				
游泳				

Which of the above activities do you like the most? If you want to improve your health, which activity would you choose? Find out the most popular activity in your class.

UNIT SUMMARY

FUNCTIONAL USAGE

1. Reminding

别 忘 了 拿 作 料 来。
bié wàng le   ná zuó liao lái

别 忘 了 考 试 的 时 间。
bié wàng le kǎo shì de shí jiān

2. Expressing difference in opinion

这 点 小 问 题 没 什 么。
zhè diǎn xiǎo wèn tí   méi shén me

没 那 么 严 重 吧。
méi nà me yánzhòng ba

3. Expressing that one is fed up

又 吃 红 烧 肉。
yòu chī hóngshāo ròu

GRAMMAR FOCUS

Sentence pattern	*Example*					
1 把: bǎ	我 wǒ	把 bǎ	菜 cài	谱 pǔ	带 dài	来 了。 lái le
	杰 jié	克, kè	你 nǐ	把 bǎ	锅 guō	拿 来。 ná lái
2 到: dào	我 wǒ	看 kàn	到 dào	张 zhāng	医 yī	生 了。 shēng le
	等 děng	到 dào	严 yán	重 zhòng	就 jiù	晚 了。 wǎn le
3 又: yòu	他 tā	今 jīn	天 tiān	又 yòu	迟 chí	到 了。 dào le
	今 jīn	天 tiān	又 yòu	吃 chī	红 hóng	烧 肉。 shāo ròu

CHINESE CHARACTERS REVIEW

汉字 Chinese character	拼音 *Pinyin*	词语组合 Language composition
简 竹 间	jiǎn	简单　简体字
按 扌 安	àn	按照　按时
始 女 台	shǐ	开始　始终
味 口 未	wèi	味道　口味
怪 忄 圣	guài	奇怪
戒 戈 廾	jiè	戒烟　戒备
烟 火 因	yān	抽烟　香烟
院 阝 完	yuàn	院子　庭院
呼 口 乎	hū	称呼　打招呼
容 宀 谷	róng	容貌　容易　美容
街 行 圭	jiē	街道

187

汉字 Chinese character		拼音 *Pinyin*	词语组合 Language composition	
药	艹 约 音	yào	中药	吃药
意	音 心 广 叟	yì	意思	意义
瘦	广 叟	shòu	胖瘦	瘦小
赶	走 干	gǎn	追赶	赶快
敬	苟 攵	jìng	尊敬	
尊	酋 寸	zūn	尊敬	尊崇
榜	木 旁	bǎng	榜样	
神	礻 申	shén	神秘	精神

Unit Six

Transportation and Geography

21 这里的环境太糟糕了

Getting Started

Discuss the traffic and environmental issues of your area. Do you often see notices, such as these below in your area?

A Notice Warning No Traffic on This Road

请注意：前方修路（qiánfāng xiūlù），每天下午 8 点到第二天早晨 7 点，这条路禁止通行（jìnzhǐ tōngxíng），请走 23 号公路（23 hào gōnglù）。

Attention: Road ahead is under repair. 8 p.m. – 7 a.m. all traffic is forbidden. Please take Road No. 23.

Text 1

Ma Ming has arrived at Jack's home ...

马明： 你好，杰克。

杰克： 马明，你好，请进！

马明： 你们这里的清洁工 (qīngjiégōng) 呢？你看，街上到处 (dàochù) 都是垃圾。

杰克： 是啊，这些垃圾已经放了两个星期了。

马明： 为什么没有人清理 (qīnglǐ)？

杰克： 这也是我要问的问题。你看，我正在给市长 (shìzhǎng) 写信呢。

马明： 对，应该把这个情况告诉市长。另外，还要对市长说，一些狗也在路 (lù) 上随便 (suíbiàn) 大小便 (dàxiǎobiàn)。

Text 2

A letter to the mayor from Jack.

市长先生：您好！

我叫杰克，我是一个中学生。我对您的工作不满意。我们这里的环境太糟糕 (zāogāo) 了。我住在约克街和81街的十字路口附近 (fùjìn)。这里的交通 (jiāotōng) 一直很拥挤 (yōngjǐ)，每天都有很多车通过 (tōngguò) 这里，路上的行人 (xíngrén) 也非常多。可是这里的垃圾已经两个星期没有清理了。每次走到垃圾旁边，都能闻 (wén) 到臭 (chòu) 味。附近还有很多遛狗的人，他们的狗在路边随便大小便，大家对这些都很不满意。我希望您马上解决 (jiějué) 这里的问题。

杰克

2004年5月8号

New words

1. 清洁工	qīngjiégōng	(n.)	cleaner
2. 到处	dàochù	(adv.)	everywhere
3. 清理	qīnglǐ	(v.)	to clean (up)
4. 市长	shìzhǎng	(n.)	mayor
5. 路	lù	(n.)	street; road
6. 随便	suíbiàn	(adj.)	careless
7. 大便	dàbiàn	(v.)	to defecate; to have a bowel movement

8. 小便	xiǎobiàn	(v.)	to urinate; to pass water
9. 糟糕	zāogāo	(adj.)	terrible
10. 附近	fùjìn	(n.)	nearby; neighboring
11. 交通	jiāotōng	(n.)	traffic
12. 拥挤	yōngjǐ	(adj.)	heavy; crowded
13. 通过	tōngguò	(v.)	to pass
14. 行人	xíngrén	(n.)	pedestrian
15. 闻	wén	(v.)	to smell
16. 臭	chòu	(adj.)	stinking; smelly
17. 解决	jiějué	(v.)	to solve

Class Exercises

1. Make a comparison and say which place you prefer.

2. Role play

(1) A：这儿到处都是垃圾，太脏了!

B：是啊，真不像话! (So shocking!)

A：希望他们能快点儿打扫干净!

(2) A：有人抽烟，太呛了 (irritate one's nose)。

B：是啊，真不像话!

A：希望他们别抽烟了!

B：对，我去跟他们说一说。(I'm going to talk with them about it.)

3. Give your own answers to the following questions.

(1) 你对学校附近的环境满意吗?

(2) 你对你们家附近的环境满意吗?

(3) 你们城市的交通情况怎么样? 你满意吗?

4. Class activity

In groups of 2 interview the residents nearby your school or in your neighborhood, see if they are satisfied with the environment around your school. Report your interview results in class.

Idioms and Ancient Stories

叶 公 好 龙
yè gōng hào lóng

Lord Ye's love of dragons – professed
love of what one really fears

Listen and Practice

1. Listening comprehension

(1) Decide whether the following statements are true or false after listening to the record.

Key words：

上个星期 shàngge xīngqī (last week) 发现 fāxiàn (to find / discover)

这条路 zhè tiáo lù (this road) 这个星期 zhège xīngqī (this week)

满意 mǎnyì (satisfied)

True or false：

① 杰克家住在约克街和18街的十字路口附近。 (F)

② 杰克家附近的交通很拥挤。 (T)

③ 这条街的垃圾已经三个星期没人清理了。 (F)

④ 邻居们建议杰克给市长写封信。 (T)

(2) Answer the following questions after listening to the record.

Key words:

李太太 Lǐ tàitai (Mrs. Li)

商店门口 shāngdiàn ménkǒu (on the doorway of the store)

警察 jǐngchá (policeman) 旁边 pángbiān (side; beside)

心里害怕 xīnli hàipà (be afraid) 禁止停车 jìnzhǐ tíngchē (no parking)

做错事情 zuòcuò shìqing (do sth. wrong)

很吃惊地看着 hěn chījīng de kànzhe (look at ... startledly)

站在这儿 zhàn zài zhèr (stand here)

Questions：

① 李 太 太 把 车 停 在 什 么 地 方?
lǐ tài tai bǎ chē tíng zài shén me dì fang

② 看 见 警 察 的 时 候 她 为 什 么 害 怕?
kàn jiàn jǐng chá de shí hou tā wèi shén me hài pà

③ 李 太 太 问 警 察 什 么?
lǐ tài tai wèn jǐng chá shén me

④ 警察 为 什么 很 吃 惊?
jǐng chá wèi shén me hěn chī jīng

⑤ 警察 站 在 李 太 太 的 车 旁 边 干 什么?
jǐng chá zhàn zài lǐ tài tai de chē páng biān gàn shén me

2. Read the following ancient poem.

寒 雨 连 江 夜 入 吴, 平 明 送 客 楚 山 孤。
hán yǔ lián jiāng yè rù wú píng míng sòng kè chǔ shān gū

洛 阳 亲 友 如 相 问, 一 片 冰 心 在 玉 壶。
luò yáng qīn yǒu rú xiāng wèn yí piàn bīng xīn zài yù hú

Cold rains reigning the stream last eve, I got in Wu,

Seeing friend off this dawn, I saw forlorn Mount Chu.

In Luoyang should my folks and friends ask after me,

Tell them a heart's in jade pot, pure as it can be.

22 喂，您不能在这里停车

Getting Started

Do you know these traffic signs? Can you say them in Chinese?

Text 1

On the school parking lot.

杰　克：喂，您不能在这里停车！

开车人：你说什么？

杰　克：这是残疾人（cánjírén）的车位（chēwèi），您不能在这里停车！

开车人：可是我有急事（jíshì），附近没有别的车位了。

杰　克：那边还有一个停车场（tíngchēchǎng），您可以去那儿。

开车人：那个停车场太贵了。我只（zhǐ）在这儿停一会儿，好吗？

杰　克：您最好尽快（jǐnkuài）离开，占用（zhànyòng）残疾人的车位是不对的。

开车人：好吧，真是没办法（bànfǎ）！

Text 2

Xiao Zhao's troubles

　　小赵 (Xiǎo Zhào) 一直想买一辆汽车 (qìchē)，因为坐公共汽车去上班要等很长时间，所以他每天必须早 (zǎo) 早地起床。有时候，他起床晚了，上班就迟到 (chídào) 了。还有的时候，公共汽车来晚了，他也迟到。老板常常批评他。他觉得，如果有一辆自己的车，上班就不会迟到了。

　　上个星期，小赵终于 (zhōngyú) 买了汽车。他高高兴兴地回家，得意 (déyì) 地对朋友说，现在好了，明天早晨可以多睡一会儿。可是第一天开车上班，他就碰到 (pèngdào) 塞车 (sāichē)，迟到了 10 分钟。第二天，他又迟到了 20 分钟。第三天，老板告诉他"你已经迟到三次了"。

　　昨天，他开车去买东西，可是找不到停车的车位。他把车停在残疾人的车位上，结果警察给了他一张罚单 (fádān)。小赵现在很烦恼 (fánnǎo)，你能帮帮他吗？

New words

1. 残疾人	cánjírén	(n.)	the handicapped; a disabled person
2. 车位	chēwèi	(n.)	parking place
3. 急事	jíshì	(n.)	sth. urgent
4. 停车场	tíngchēchǎng	(n.)	parking lot
5. 只	zhǐ	(adv.)	just; only
6. 尽快	jǐnkuài	(adv.)	as quickly as possible
7. 占用	zhànyòng	(v.)	to occupy
8. 办法	bànfǎ	(n.)	measure; means; way
9. 汽车	qìchē	(n.)	car
10. 早	zǎo	(adj.)	early
11. 迟到	chídào	(v.)	to be late
12. 终于	zhōngyú	(adv.)	finally
13. 得意	déyì	(adj.)	proud of oneself; complacent
14. 碰到	pèngdào		run into; meet
15. 塞车	sāichē	(n.)	traffic jam
16. 罚单	fádān	(n.)	fine ticket
17. 烦恼	fánnǎo	(adj.)	vexed; annoyed

Proper noun

小赵	Xiǎo Zhào	Xiao Zhao

200

Class Exercises

1. Answer the following questions according to Text 2.

    (1) 小赵为什么要买车?

    (2) 小赵买车以后，上班还迟到吗?

    (3) 为什么警察给小赵罚单?

    (4) 现在，小赵的烦恼是什么?

2. Which do you think is better, driving a car or taking a bus?

 我喜欢坐公共汽车，公共汽车比较安全。

 我认为还是开车方便些，不用等公共汽车，自由一点儿。

 找停车的车位太难了，我希望大家都坐公共汽车。

 我觉得应该保护环境，应该少开车、多坐公共汽车。

 要发展经济，还是应该鼓励大家开车。

3. Debate in Chinese.

Pros: Buses are better than cars. The city should develop public transportation.

Cons: Cars are better than buses. Private cars should be encouraged.

(The teacher will be the judge.)

4. Class activity

Find out how many cars your classmates' families have and how they use them. Make a summary of the data you collect to see what transportation means people use mostly in your city.

"你们家有几辆车？""你们什么时候用车？"

"你怎么来学校？""你爸爸、妈妈怎么上班？"

Idioms and Ancient Stories

滥 竽 充 数
làn yú chōng shù

Pass oneself off as one of the players in an ensemble – be there just to make up the number. (Used of incompetent people or inferior goods)

Listen and Practice

1. Listening comprehension

(1) Decide whether the following statements are true or false after listening to the record.

Key words：

警察先生 jǐngchá xiānsheng (policeman)

交罚款 jiāo fákuǎn (pay the fine)

5分钟 wǔ fēnzhōng (5 minutes)

收费停车场 shōufèi tíngchēchǎng (pay parking lot)

True or false：

① 小赵以前坐公共汽车上班。 (　　)

② 小赵买了汽车以后就不迟到了。 (　　)

③ 小赵又迟到了，所以老板让他离开。 (　　)

④ 小赵说，他只停了5分钟，所以警察没有给他罚款。 （　　）

⑤ 小赵把车停在收费停车场了。 （　　）

(2) Answer the following questions after listening to the record.

Key words:

家乡 jiāxiāng (hometown)　　　木瓜 mùguā (Chinese flowering quince)

花钱 huāqián (to spend money)　　不好意思 bù hǎoyìsi (sorry; embarrassed)

喂猪 wèi zhū (feed the pig)

Questions：

① 小 赵 的 老 板 喜 欢 什 么?
xiǎo zhào de lǎo bǎn xǐ huan shén me

② 小 赵 为 什 么 送 木 瓜 给 老 板?
xiǎo zhào wèi shén me sòng mù guā gěi lǎo bǎn

③ 老 板 看 到 木 瓜 说 了 什 么?
lǎo bǎn kàn dào mù guā shuō le shén me

④ 如 果 你 是 老 板, 听 到 小 赵 的 话, 你 高 兴 吗?
rú guǒ nǐ shì lǎo bǎn tīng dào xiǎo zhào de huà nǐ gāo xìng ma

为 什 么?
wèi shén me

2. **Read the following tongue twister.**

有 个 老 头 他 姓 顾, 上 街 打 醋 带 买 布。 打 了 醋,
yǒu ge lǎo tóu tā xìng gù shàng jiē dǎ cù dài mǎi bù dǎ le cù

买 了 布, 抬 头 看 见 鹰 叼 兔。 放 下 醋, 丢 下 布, 去 捉 鹰
mǎi le bù tái tóu kàn jiàn yīng diāo tù fàng xià cù diū xià bù qù zhuō yīng

和 兔。 一 下 踢 翻 了 自 己 的 醋, 飞 了 鹰, 跑 了 兔, 回 头
hé tù yí xià tī fān le zì jǐ de cù fēi le yīng pǎo le tù huí tóu

不 见 他 的 布。
bú jiàn tā de bù

An old man named Gu went shopping for vinegar and cloth. When he got them both, he looked up and saw a hawk holding a hare in its mouth. Putting down the vinegar and cloth, he began to chase them both. He kicked over the vinegar, lost his cloth, only to see one fly high in the sky and the other run far away.

机票多少钱一张

Getting Started

天气预报

今天白天（jīntiān báitiān）：晴（qíng），南风1～2级（nánfēng yī dào èr jí），最高温度（zuì gāo wēndù）26℃。

今天夜间（jīntiān yèjiān）：多云（duōyún），东南风（dōngnánfēng）2级，最低气温（zuì dī qìwēn）18℃。

明天白天（míngtiān báitiān）：有小雨（yǒu xiǎoyǔ），东风（dōngfēng）2级，最高气温20℃。

Text 1

Ma Ming is telephoning for booking a plane ticket ...

旅行社：您好，"漫游"旅行社 (mànyóu lǚxíngshè)。

马　明：你好，我要订 (dìng) 两张去上海的机票 (jīpiào)。

旅行社：您要哪一天的机票？

马　明：7月12号的。多少钱一张？

旅行社：您要单程票 (dānchéng piào)，还是往返票 (wǎngfǎn piào)？

马　明：往返票便宜吗？

旅行社：对，往返票打7折 (dǎ zhé)。单程票650元，往返票910元。

马　明：好，我买往返票。

旅行社：您要哪个机场 (jīchǎng) 的航班 (hángbān)？

马　明：我住在市中心 (shì zhōngxīn)。哪个机场离 (lí) 市中心近 (jìn)？

旅行社：国际机场 (guójì jīchǎng)。

马　明：那就要国际机场的。

Text 2

Where to travel?

你经常旅行吗？中国人常常说"读万卷书，行万里路"①，因为在旅行的时候可以学到很多知识。马明和杰克都爱旅行，不过，去哪儿旅行，他们想得不一样 (yíyàng)。

马明喜欢去城市旅行。他说城市里有很多名胜古迹，参观的城市越多，学到的历史知识也就越 (yuè …… yuè ……) 多。虽然有的城市没有很多的名胜古迹，但是也可以参观博物馆 (bówùguǎn) 和美术馆 (měishùguǎn)，学到很多知识。

杰克喜欢去郊外，特别是山区 (shānqū)。那里离城市很远 (yuǎn)，空气很好，爬山 (páshān) 对健康有好处 (hǎochù)，也可以学到很多地理 (dìlǐ) 知识。现在城市里污染 (wūrǎn) 越来越严重，所以离城市越远越好。对这个问题，你怎么想？

---

① 读万卷书，行万里路。Read ten thousand volumes of books and travel ten thousand miles. (Suggesting that people should read and travel as much as possible.)

New words

1. 订	dìng	(v.)	to book; to reserve
2. 机票	jīpiào	(n.)	plane ticket
3. 单程票	dānchéng piào		one-way ticket
4. 往返票	wǎngfǎn piào		return ticket
5. 打折	dǎ zhé		(to give a) discount
6. 机场	jīchǎng	(n.)	airport
7. 航班	hángbān	(n.)	flight
8. 市中心	shì zhōngxīn		city center (downtown area)
9. 离	lí	(v.)	from (in giving distances)
10. 近	jìn	(adj.)	near
11. 国际机场	guójì jīchǎng	(n.)	international airport
12. 一样	yíyàng	(adj.)	the same
13. 越……越……	yuè…… yuè……		the more... the more ...; more and more
14. 博物馆	bówùguǎn	(n.)	museum
15. 美术馆	měishùguǎn	(n.)	art gallery
16. 山区	shānqū	(n.)	mountain area
17. 远	yuǎn	(adj.)	far
18. 爬山	páshān		to climb mountains; mountain climbing
19. 好处	hǎochù	(n.)	benefit; advantage
20. 地理	dìlǐ	(n.)	geography
21. 污染	wūrǎn	(n.)	pollution

Proper noun

"漫游" 旅行社	mànyóu lǚxíngshè	Wander Travel Agency

Class Exercises

1. Picture description

现在打几折?

What's the discount?

2. Conversation practice

Make new conversations according to the given words. Practice with a partner.

A：您好，请问，这本书多少钱?

B：150元。

A：好的，我要一本。

① 张，光盘，40元，张

② 条，裙子，210元，条

③ 个，书包，180元，个

3. Role play

(1) A：请问，这种衣服多少钱一件?

B：300元一件。

A：太贵了，能便宜一点儿吗?

B：对不起，不行，我们商店不打折。

A：那好吧，我要一件。

(2) In pairs role play sales assistance and customer. Think of other items that can be bought or sold.

4. Class activity

Ask your classmates what places they like to travel. Report your survey to class.

你喜欢旅行吗？你喜欢去什么地方旅行?

An Idiom

读 万 卷 书, 行 万 里 路
dú wàn juàn shū xíng wàn lǐ lù

Read ten thousand volumes of books
and travel ten thousand miles.
(Suggesting that people should read
and travel as much as possible.)

Listen and Practice

1. Listening comprehension

(1) Decide whether the following statements are true or false after listening to the record.

Key words：

暑假 shǔjià (summer vacation)　　　打算 dǎsuan (plan)

西安 Xī'ān (Xi'an)　　　北京 Běijīng (Beijing)

参观 cānguān (to visit)

True or false：

① 马明喜欢旅行，可是杰克不喜欢。　　　（　　）

② 马明打算去上海，杰克打算去北京。　　　（　　）

③ 杰克认为城市污染严重，所以郊区比城市好。　　（　　）

④ 马明认为城市里有名胜古迹，可以学习历史。　　（　　）

(2) Answer the following questions after listening to the record.

Key words:

晴 qíng (clear)　　　风 fēng (wind)

级 jí ((of wind) scale)　　　温度 wēndù (temperature)

夜间 yèjiān (night)　　　多云 duōyún (cloudy)

雨 yǔ (rain)　　　摄氏度 Shèshìdù (centigrade)

Questions：

① 今 天 白 天 有 没 有 风?
　　jīn tiān bái tiān yǒu méi yǒu fēng

② 今 天 的 温 度 是 多 少?
　　jīn tiān de wēn dù shì duō shao

③ 今 天 夜 间 会 不 会 很 冷? 为 什 么?
　　jīn tiān yè jiān huì bu huì hěn lěng wèi shén me

④ 明 天 的 天 气 怎 么 样?
　　míng tiān de tiān qì zěn me yàng

2. Read the following modern poem.

假 如 我 当 市 长,
jiǎ rú wǒ dāng shì zhǎng

我 先 盖 无 数 的 楼 房,
wǒ xiān gài wú shù de lóu fáng

让 所 有 的 居 民, 用 微 笑 迎 接 太 阳。
ràng suǒ yǒu de jū mín yòng wēi xiào yíng jiē tài yáng

假 如 我 当 市 长,
jiǎ rú wǒ dāng shì zhǎng

我 先 贴 一 张 招 贤 榜,
wǒ xiān tiē yì zhāng zhāo xián bǎng

让 美 丽 的 城 市, 不 再 受 到 污 染。
ràng měi lì de chéng shì bú zài shòu dào wū rǎn

让 清 新 的 空 气, 充 满 绿 色 的 芳 香。
ràng qīng xīn de kōng qì chōng mǎn lǜ sè de fāng xiāng

假 如 我 当 市 长, ……
jiǎ rú wǒ dāng shì zhǎng

If I were the mayor,
I would have numerous buildings built,
So all the residents could greet the sun with a smile.
If I were the mayor,
I would advertize for people with talents,
So as to keep the beautiful city free from pollution.
And keep the air fresh, always full of green scent.
If I were the mayor...

24 谁破坏了我们的家

Text

在中国南方 (nánfāng) 有一个美丽 (měilì) 的地方。那里 (nàlǐ) 有热带雨林 (rèdài yǔlín)，生长 (shēngzhǎng) 着很多植物 (zhíwù)，也生活着很多动物，是一个旅游的好地方。

可是，最近那里发生 (fāshēng) 了这样的事情：

农民 (nóngmín) 辛辛苦苦① (xīnkǔ) 地种 (zhòng) 了很多粮食 (liángshi)，等到秋天收获 (shōuhuò) 的时候，粮食已经被 (bèi) 动物吃光 (guāng) 了②。大象 (dàxiàng) 对庄稼 (zhuāngjia) 的破坏最厉害。它们的身体很大，走进庄稼地 (zhuāngjiadì)，把庄稼都踩倒 (dǎo) 了。

---

① 辛辛苦苦 work laboriously; take great pains。
② 粮食已经被吃光了。The crops have been eaten up by the animals already.

农民到法院 (fǎyuàn) 起诉 (qǐsù)，说大象破坏 (pòhuài) 了他们的庄稼。以前农民可以抓 (zhuā) 住 (zhù) 吃粮食的动物，或者打死 (sǐ) 它们。但是现在法律 (fǎlǜ) 禁止随便捕杀 (bǔshā) 动物。

可是有人说，如果大象会说话，它们也许会问："谁破坏了我们的家？" 因为这里以前是它们的家。

New words

1. 南方	nánfāng	(n.)	south
2. 美丽	měilì	(adj.)	beautiful
3. 那里	nàli	(pron.)	that place; there
4. 热带雨林	rèdài yǔlín	(n.)	tropical forest
5. 生长	shēngzhǎng	(v.)	to grow
6. 植物	zhíwù	(n.)	plant
7. 发生	fāshēng	(v.)	to happen
8. 农民	nóngmín	(n.)	farmer
9. 辛苦	xīnkǔ	(adj.)	strenuous; laborious
10. 种	zhòng	(v.)	to plant
11. 粮食	liángshi	(n.)	cereals; grain
12. 收获	shōuhuò	(v.)	to harvest
13. 被	bèi	(prep.)	*used in a passive sentence to introduce either the doer of the action or the action if the doer is not mentioned*
14. 光	guāng	(adj.)	all gone; nothing left
15. 大象	dàxiàng	(n.)	elephant
16. 庄稼	zhuāngjia	(n.)	crops
17. 庄稼地	zhuāngjiadì	(n.)	cropland; fields

18. 倒	dǎo	(v.)	to fell; to fall
19. 法院	fǎyuàn	(n.)	court
20. 起诉	qǐsù	(v.)	to sue
21. 破坏	pòhuài	(v.)	to destroy
22. 抓	zhuā	(v.)	to catch
23. 住	zhù	(v.)	firmly; to a stop (*used after a verb as a complement*)
24. 死	sǐ	(v.)	to die; to be dead
25. 法律	fǎlǜ	(n.)	law
26. 捕杀	bǔshā	(v.)	to catch and kill

Class Exercises

1. Matching

Match the left and right columns according to the text.

(1) 那个美丽的地方   把庄稼都踩倒了。

(2) 粮食   禁止随便杀死动物。

(3) 法律   是个旅游的好地方。

(4) 大象   已经被动物吃光了。

2. Word classification

Classify the following words into 4 categories.

(1) 大象   (2) 博物馆   (3)乌龟   (4) 美术馆   (5) 停车场   (6) 农民

(7) 老板   (8) 警察   (9) 旅游   (10) 市长   (11) 爬山   (12) 清洁工   (13) 狗

Animals _____   People _____

Places _____   Activities _____

3. Debate in Chinese

Environmental Protection and Economic Development

Pros: The human race should regard environmental protection as the most important thing.

Cons: Developing the economy should first consider meeting people's needs. Environmental protection can be done after the economy has well developed.

(The teacher will be the judge.)

4. Class activity

Role play a TV debate on environmental protection issues. Students can play the part of government representatives, opposition parts members, environmental protection agency members, reporters etc.

Listen and Practice

Read and sing

康 定 情 歌
kāng dìng qíng gē

跑 马 溜 溜 的 山 上，一 朵 溜 溜 的 云！
pǎo mǎ liū liū de shān shang yì duǒ liū liū de yún

端 端 溜 溜 的 照 在 康 定 溜 溜 的 城！
duān duān liū liū de zhào zài kāng dìng liū liū de chéng

月 亮 弯 弯，康 定 溜 溜 的 城！
yuè liang wān wān kāng dìng liū liū de chéng

李 家 溜 溜 的 大 姐，人 才 溜 溜 的 好！
lǐ jiā liū liū de dà jiě rén cái liū liū de hǎo

张 家 溜 溜 的 大 哥，看 上 溜 溜 的 她！
zhāng jiā liū liū de dà gē kàn shàng liū liū de tā

月 亮 弯 弯，看 上 溜 溜 的 她！
yuè liang wān wān kàn shàng liū liū de tā

一 来 溜 溜 的 看 上 人 才 溜 溜 的 好！
yì lái liū liū de kàn shàng rén cái liū liū de hǎo

二 来 溜 溜 的 看 上 会 当 溜 溜 的 家！
èr lái liū liū de kàn shàng huì dāng liū liū de jiā

214

月 亮 弯 弯, 会 当 溜 溜 的 家!
yuè liang wān wān hui dāng liū liū de jiā

世 间 溜 溜 的 女 子 任 我 溜 溜 的 爱!
shì jiān liū liū de nǔ zǐ rèn wǒ liū liū de ài

世 间 溜 溜 的 男 子 任 你 溜 溜 的 求!
shì jiān liū liū de nán zǐ rèn nǐ liū liū de qiú

月 亮 弯 弯, 任 你 溜 溜 的 求!
yuè liang wān wān rèn nǐ liū liū de qiú

康 定 情 歌

四川民歌

Reading

1. 叶公好龙

从前有个人叫叶公，他非常喜欢龙。在他的家里，墙上画着龙，柱子 (zhùzi, pillar) 上刻 (kè, to carve; to engrave) 着龙，房子 (fángzi, house) 外面也有很多龙的雕刻 (diāokè, to carve; to engrave)。天上的真龙 (zhēnlóng, the real dragon in heaven) 知道了，就来到叶公的家。龙的头从窗子进来，龙的尾巴一直拖到厅堂上 (lóng de wěiba yìzhí tuō dào tīngtáng shang, the dragon's tail extended into the hall)。叶公看见了真龙，却吓坏了 (què xià huài le, however, he was frightend to death)。

2. 滥竽充数

中国古代 (gǔdài, ancient times) 有个齐宣王，他喜欢一种乐器 (yuèqì, musical instrument) 叫竽。他最喜欢听300个人一起吹 (chuī, to play) 竽。有个人不会吹竽，但也和别的人混在一起，假装 (jiǎzhuāng, to pretend) 吹竽挣钱。后来齐宣王死了，他的儿子不喜欢听很多人一起吹，喜欢听单个人吹。这个不会吹竽的人只好走了。

216

Writing

Look at a weather forecast and write it down in Chinese by referring to the text.

Unit Language Practice

Our City, Our Home

In groups collect information about the sanitation, environmental and animal protection, transportation, and economy of your city. Are the residents of your city satisfied with these matters? Write a survey report about it entitled "Our City, Our Home". Point out the positive factors and make suggestions for improving the negative factors.

我们的城市
Our City, Our Home

	环境卫生 sanitation	环境保护 environmental protection	动物保护 animal protection	交　通 transportation	经济发展 economy	人们是否满意 people's satisfactory degree
评价 evaluation						
资料 来源 data source						

调查人 survey conductor:＿＿＿＿＿＿＿＿＿＿＿＿

调查时间 survey time:＿＿＿＿＿＿＿＿＿＿＿＿

UNIT SUMMARY

FUNCTIONAL USAGE

1. Expressing dissatisfaction

我 对 这 里 的 环 境 很 不 满 意。
wǒ duì zhè li de huán jìng hěn bù mǎn yi

2. Expressing prohibition

您 不 能 在 这 里 停 车。
nín bù néng zài zhè li tíng chē

3. Expressing criticism

占 用 残 疾 人 的 车
zhàn yòng cán jí rén de chē

位 是 不 对 的。
wèi shi bú duì de

4. Expressing that there is no alternative

真 是 没 办 法!
zhēn shì méi bàn fǎ

5. Asking the price

飞 机 票 多 少 钱 一 张?
fēi jī piào duō shao qián yi zhāng

6. Booking airline tickets

我 要 订 两 张 去 上 海 的 机 票。
wǒ yào dìng liǎng zhāng qù shàng hǎi de jī piào

GRAMMAR FOCUS

Sentence pattern	*Example*

1 对：
dui

我 对 您 的 工 作 很 不 满 意。
wǒ duì nín de gōng zuò hěn bù mǎn yì

爬 山 对 健 康 有 好 处。
pá shān duì jiàn kāng yǒu hǎo chù

2 地：
de

他 每 天 必 须 早 早 地 起 床。
tā měi tiān bì xū zǎo zǎo de qǐ chuáng

3 如 果……就……：
rú guǒ jiù

如 果 起 床 晚 了，上 班 就 会 迟
rú guǒ qǐ chuáng wǎn le, shàng bān jiù huì chí

到。
dào

4 离：
lí

那 个 机 场 离 市 中 心 很 近。
nà ge jī chǎng lí shì zhōng xīn hěn jìn

我 们 家 离 学 校 不 远。
wǒ men jiā lí xué xiào bù yuǎn

CHINESE CHARACTERS REVIEW

汉字 Chinese character		拼音 *Pinyin*	词语组合 Language composition
拥	扌 用	yōng	拥挤 拥抱
挤	扌 齐	jǐ	拥挤 挤牙膏
闻	门 耳	wén	新闻
附	阝 付	fù	附近 附属
终	纟 冬	zhōng	终于 始终
罚	四 讠 刂	fá	惩罚 罚款
程	禾 呈	chéng	过程 课程 程度
航	舟 亢	háng	航空 航班
博	十 専	bó	博物馆 博士
热	执 灬	rè	冷热 热闹
植	木 直	zhí	植物 种植
苦	艹 古	kǔ	辛苦 苦恼
获	艹 犭	huò	收获 获得

汉字 Chinese character	拼音 *Pinyin*	词语组合 Language composition
倒 亻 　 到	dǎo	倒下　摔倒
诉 讠 　 斥	sù	告诉

Appendix

I Vocabulary

Word	*Pinyin*	Part of Speech	Translation	Lesson
阿姨	āyí	n.	aunt	13
矮	ǎi	adj.	short (of stature)	1
按照	ànzhào	prep.	according to	17
摆	bǎi	v.	to put; to place; to arrange	13
搬	bān	v.	to move (house)	1
办法	bànfǎ	n.	measure; means; way	22
帮	bāng	v.	to help	1
帮助	bāngzhù	v.	to help	10
榜样	bǎngyàng	n.	example; model	20
保密	bǎomì	v.	to keep sth. secret; to maintain secrecy	11
抱	bào	v.	to hold in arms; to embrace (here to have one's grandchild)	10
报纸	bàozhǐ	n.	newspaper	2
北京	Běijīng	n.	Beijing	5
被	bèi	prep.	*used in a passive sentence to introduce either the doer of the action or the action if the doer is not mentioned*	24
边	biān	n.	side	4
鞭炮	biānpào	n.	firecracker	13
变（成）	biàn (chéng)	v.	to become	20
博物馆	bówùguǎn	n.	museum	23
不过	búguò	conj.	but; however	6
捕杀	bǔshā	v.	to catch and kill	24
猜	cāi	v.	to guess	14
踩	cǎi	v.	to step on; to trample	3
菜谱	càipǔ	n.	recipe	17

参观	cānguān	v.	to visit	5
餐具	cānjù	n.	tableware	15
残疾人	cánjírén	n.	the handicapped; a disabled person	22
叉	chā	n.	fork	15
差不多	chà bu duō		about the same; similar	8
差点儿	chàdiǎnr		almost	5
长城	Chángchéng	n.	the Great Wall	8
长廊	chángláng	n.	the Long Corridor of the Summer Palace	8
尝	cháng	v.	to taste	15
场	chǎng	m.	*a measure word for recreational or sports activities*	6
超市	chāoshì	n.	supermarket	4
车位	chēwèi	n.	parking place	22
成都	Chéngdū	n.	Chengdu	8
成龙	Chéng Lóng	n.	Jacky Cheng	7
城市	chéngshì	n.	city	4
吃饭	chīfàn	v.	to eat; to have meals	15
吃惊	chījīng	v.	be startled; be shocked; be amazed	18
迟到	chídào	v.	to be late	22
臭	chòu	adj.	stinking; smelly	21
出	chū	v.	to exit; to go/come out	3
出门	chūmén	v.	to go out	4
厨房	chúfáng	n.	kitchen	2
传统	chuántǒng	n.	tradition	14
春联	chūnlián	n.	couplet for the Spring Festival	14
打电话	dǎ diànhuà		to call someone; to telephone	2
打折	dǎ zhé		(to give a) discount	23
大便	dàbiàn	v.	to defecate; to have a bowel movement	21
大喊大叫	dà hǎn dà jiào		shout at the top of one's voice	3

大家	dàjiā	pron.	everyone	20
大惊小怪	dà jīng xiǎo guài		be surprised or alarmed at sth. quite normal; make a fuss about nothing	18
大象	dàxiàng	n.	elephant	24
大熊猫	dàxióngmāo	n.	giant panda	8
带	dài	v.	to bring	5
单程票	dānchéng piào		one-way ticket	23
担心	dānxīn	v.	to worry	11
当……的时候	dāng……de shíhou		when	8
刀	dāo	n.	knife	15
倒	dǎo	v.	to fell; to fall	24
到	dào	v.	*used as a verb complement to show the result of an action*	3
到处	dàochù	adv.	everywhere	21
到……去	dào……qù		to go to ...	5
得	de	pt.	*used to link a verb or an adjective to a complement which describes the manner or degree*	1
得意	déyì	adj.	proud of oneself; complacent	22
灯笼	dēnglong	n.	lantern	13
第……次	dì……cì		the ... time (第 *used before numerals to form ordinal numbers*)	7
地理	dìlǐ	n.	geography	23
点（菜）	diǎn (cài)	v.	to order (dishes)	15
订	dìng	v.	to book; to reserve	23
懂	dǒng	v.	to understand	6
读	dú	v.	to read	12
对	duì	prep.	to	10
对门	duìmén	n.	the room or building opposite	10

多（概数）	duō	approx. num.	over a specified amount;	
			and more	10
躲	duǒ	v.	to hide	11
儿子	érzi	n.	son	1
耳机	ěrjī	n.	headphone	9
发生	fāshēng	v.	to happen	24
罚单	fádān	n.	fine ticket	22
法国	Fǎguó	n.	France	15
法律	fǎlǜ	n.	law	24
法院	fǎyuàn	n.	court	24
烦	fán	adj.	vexed; annoyed; irritated	9
烦恼	fánnǎo	adj.	vexed; annoyed	22
方便	fāngbiàn	adj.	convenient	20
方法	fāngfǎ	n.	method	19
方块	fāngkuài	n.	square piece	17
房间	fángjiān	n.	room	3
放（鞭炮）	fàng (biānpào)	v.	to see off (firecrackers)	13
放心	fàngxīn	v.	set one's mind at rest;	
			rest assured	6
放学	fàngxué	v.	(school) let out;	
			(of classes) be over	9
肺	fèi	n.	lung	18
父母	fùmǔ	n.	parents	12
附近	fùjìn	n.	nearby; neighboring	21
赶时髦	gǎn shímáo		follow the fashion;	
			try to be in style	20
刚	gāng	adv.	just	2
钢琴	gāngqín	n.	piano	7
各种各样	gè zhǒng gè yàng		various; all kinds of	6
个子	gèzi	n.	stature; height	2
更	gèng	adv.	even; more; still more	6
公司	gōngsī	n.	company; firm	12

恭喜	gōngxǐ	v.	to congratulate	13
古诗	gǔshī	n.	ancient poem	12
鼓掌	gǔzhǎng	v.	to applaud	7
故宫	Gùgōng	n.	the Forbidden City (the Palace Museum)	8
故事	gùshi	n.	tale; story	8
挂	guà	v.	to hang	4
关	guān	v.	to shut	3
光	guāng	v.	all gone; nothing left	24
广告	guǎnggào	n.	advertisement	4
锅	guō	n.	pot; wok	17
国际	guójì	n.	international	12
国际机场	guójì jīchǎng	n.	international airport	23
过	guò	v.	to spend (time); to pass (time)	1
过节	guòjié	v.	celebrate a festival	14
过夜	guòyè	v.	to sleep over; to put up for the night	11
过	guo	pt.	*used after a verb or an adjective to indicate a past action or state*	15
还	hái	adv.	yet; still	16
孩子	háizi	n.	child	10
汉字	hànzì	n.	Chinese character	12
航班	hángbān	n.	flight	23
好处	hǎochù	n.	benefit; advantage	23
好久	hǎojiǔ		long time	1
盒子	hézi	n.	box	3
横批	héngpī	n.	horizontal inscription	14
红包	hóngbāo	n.	a red paper envelope containing money as a gift, tip, or bonus	16
红烧肉	hóngshāo ròu	n.	pork braised in brown sauce	19
呼吸	hūxī	v.	to breathe	18
花儿	huār	n.	flower	13

化验	huàyàn	v. & n.	laboratory test	18
话	huà	n.	word; talk	14
黄果树瀑布	Huángguǒshù pùbù	n.	the Huangguoshu Waterfall	5
或者	huòzhě	pron.	or	14
机场	jīchǎng	n.	airport	23
机会	jīhuì	n.	chance; opportunity	12
机票	jīpiào	n.	plane ticket	23
极	jí	adv.	extremely; to the greatest extent; exceedingly	7
吉利	jílì	adj.	lucky; auspicious; propitious	14
急事	jíshì	n.	sth. urgent	22
几	jǐ	approx. num.	a few; several; some	9
寄	jì	v.	to mail; to post	14
继承	jìchéng	v.	to carry on; to inherit	12
记得	jìde	v.	to remember	5
计算机	jìsuànjī	n.	computer	12
夹	jiā	v.	to pick up; to press from both sides	15
家	jiā	m.	*a measure word for families or business establishments*	10
简单	jiǎndān	adj.	simple	17
见	jiàn	v.	to see	1
见	jiàn	v.	to meet	6
健康	jiànkāng	adj.	healthy	12
健康	jiànkāng	n.	health	18
建议	jiànyì	n.	proposal; suggestion	3
交通	jiāotōng	n.	traffic	21
郊外	jiāowài	n.	suburbs; outskirts	18
教	jiāo	v.	to teach	17
脚	jiǎo	n.	foot	13
接	jiē	v.	to pick (sb.) up	2

结果	jiéguǒ	n.	result	18
解决	jiějué	v.	to solve	21
戒	jiè	v.	to give up; to drop; to stop	18
尽快	jǐnkuài	adv.	as quickly as possible	22
近	jìn	adj.	near	23
进	jìn	v.	to enter	5
京剧	jīngjù	n.	Peking opera	6
精神	jīngshen	adj.	smart; lively; spirited	20
久	jiǔ	adj.	for a long time; long	8
酒	jiǔ	n.	alcoholic drink	18
开（张）	kāi (zhāng)	v.	to open (a business)	15
开朗	kāilǎng	adj.	sanguine; always cheerful	14
开始	kāishǐ	v.	to start; to begin	17
开玩笑	kāi wánxiào		play / make a joke	14
开张	kāizhāng	v.	to open for business	13
可爱	kě'ài	adj.	cute; lovely	1
客厅	kètīng	n.	living room	2
空气	kōngqì	n.	air	18
夸	kuā	v.	to praise; to compliment	13
筷子	kuàizi	n.	chopstick	15
宽	kuān	adj.	loose	20
昆明湖	Kūnmíng Hú	n.	the Kunming Lake	8
困	kùn	adj.	sleepy	7
拉（琴）	lā (qín)	v.	to play (certain musical instruments, such as violin, accordion)	7
辣	là	adj.	chilli; hot	17
蜡烛	làzhú	n.	candle	13
懒	lǎn	adj.	lazy	9
老……（词缀）	lǎo……		*prefix used in kinship terms before numerals to indicate order of seniorty*	10

累	lèi	adj.	tired	8
离	lí	v.	from (in giving distances)	23
离开	líkāi	v.	to leave	9
李美云	Lǐ Měiyún	n.	Li Meiyun	1
李小龙	Lǐ Xiǎolóng	n.	Bruce Lee	7
理解	lǐjiě	v.	to understand	9
理想	lǐxiǎng	n.	ideal; aspiration	12
里面	lǐmiàn	n.	inside	3
鲤鱼	lǐyú	n.	carp	19
例如	lìrú		for example; for instance	12
脸谱	liǎnpǔ	n.	types of facial makeup in Peking operas	6
粮食	liángshi	n.	cereals; grain	24
《梁祝》	Liángzhù	n.	*Butterfly Lovers*	7
了解	liǎojiě	v.	to understand; to know	11
另外	lìngwài	n.	in addition; besides	13
楼上	lóu shang	n.	upstairs	2
楼下	lóu xià	n.	downstairs	2
路	lù	n.	street; road	21
麻婆豆腐	mápó dòufu	n.	pockmarked grandma's tofu	17
马路	mǎlù	n.	road; street	4
满意	mǎnyì	adj.	satisfied	14
"漫游" 旅行社	mànyóu lǚxíngshè	n.	Wander Travel Agency	23
贸易	màoyì	n.	trade	12
没	méi	adv.	have not; do not	5
没关系	méi guānxi		it doesn't matter	17
每年	měinián		each year	14
美华	Měihuá	n.	Meihua	3
美丽	měilì	adj.	beautiful	24
美容	měiróng	v.	to improve one's looks	19
美术馆	měishùguǎn	n.	art gallery	23
门口	ménkǒu	n.	doorway	3

民族	mínzú	n.	nationality	15
名牌	míngpái	n.	prestigious / famous brand	12
名胜古迹	míngshèng gǔjì		places of historical interest and scenic beauty	8
明星	míngxīng	n.	star (a famous performer)	7
墨西哥	Mòxīgē	n.	Mexico	15
哪些	nǎxiē	pron.	which (ones); who; what	5
那边	nàbiān	pron.	that side; there	13
那个	nàge	pron.	that	11
那里	nàli	pron.	that place; there	24
那么	nàme	adv.	so; like that; in that way	4
那天	nàtiān		on that day	13
奶油蛋糕	nǎiyóu dàngāo	n.	cream cake	19
男孩儿	nánháir	n.	boy	10
南方	nánfāng	n.	south	24
南辕北辙	nán yuán běi zhé		try to go south by driving the chariot north — act in a way that defeats one's purpose	19
闹钟	nàozhōng	n.	alarm clock	16
尼亚加拉瀑布	Níyàjiālā pùbù	n.	Niagara Falls	5
腻	nì	adj.	oily; greasy	19
年轻人	niánqīng rén	n.	young people	6
农民	nóngmín	n.	farmer	24
女儿	nǚ'er	n.	daughter	1
女孩儿	nǚháir	n.	girl	10
哦	ò	interj.	*expressing realization, understanding etc.*	2
欧洲	Ōuzhōu	n.	Europe	15
爬山	páshān		to climb mountains; mountain climbing	23
胖	pàng	adj.	fat	1
胖子	pàngzi	n.	a fat person	20

碰到	pèngdào		run into; meet	22
批评	pīpíng	v.	to criticize	9
破坏	pòhuài	v.	to destory	24
瀑布	pùbù	n.	waterfall	5
妻子	qīzi	n.	wife	10
奇怪	qíguài	adj.	surprised; strange	20
起	qǐ	v.	(used after a verb) up; upwards; (here "of")	16
起诉	qǐsù	v.	to sue	24
汽车	qìchē	n.	car	22
千	qiān	num.	thousand	14
前天	qiántiān	n.	the day before yesterday	5
墙	qiáng	n.	wall	13
巧克力	qiǎokèlì	n.	chocolate	19
切	qiē	v.	to cut; to chop	17
亲戚	qīnqi	n.	relative	16
秦始皇兵马俑	Qínshǐhuáng bīngmǎyǒng	n.	terracotta warriors and horses in the tomb of Emperor Qingshihuang	5
清洁工	qīngjiégōng	n.	cleaner	21
清理	qīnglǐ	v.	to clean (up)	21
请客	qǐngkè	v.	tread sb. to ...	15
求	qiú	v.	to plead; to beg; to request	11
却	què	adv.	but; yet	8
让	ràng	v.	to ask; to let	2
热带雨林	rèdài yǔlín	n.	tropical forest	24
人口	rénkǒu	n.	population	4
人们	rénmen	n.	people	14
认为	rènwéi	v.	to think	18
塞车	sāichē	n.	traffic jam	22
伞	sǎn	n.	umbrella	16
色、香、味	sè、xiāng、wèi		color, smell and flavor	17

山区	shānqū	n.	mountain area	23
上（大学）	shàng (dàxué)	v.	go (to university)	12
上（个）	shàng (ge)	n.	last; most recent	7
上班	shàngbān	v.	go to work	2
上边	shàngbian	n.	on the surface/top of	8
上街	shàngjiē	v.	go shopping	19
上联	shànglián	n.	first line of couplet	14
上	shang	n.	on (*used after a noun*)	13
少	shǎo	adj.	little; few; less	7
身	shēn	n.	body	13
生（孩子）	shēng (háizi)	v.	to give birth to...; to bear	10
生活	shēnghuó	v.	to live	12
生气	shēngqì	v.	to get angry	9
生长	shēngzhǎng	v.	to grow	24
失望	shīwàng	v.	to be disappointed	20
使用	shǐyòng	n.	to use	15
市长	shìzhǎng	n.	mayor	21
市中心	shì zhōngxīn		city center (downtown area)	23
事情	shìqing	n.	thing; matter; business; affair	9
事业	shìyè	n.	career	12
收获	shōuhuò	v.	to harvest	24
售票处	shòupiàochù	n.	ticket office	6
瘦子	shòuzi	n.	a thin person	20
摔跤	shuāijiāo	v.	to tumble; to trip and fall	3
帅	shuài	adj.	handsome	2
睡	shuì	v.	to sleep	7
死	sǐ	v.	to die (here "to death")	10
死	sǐ	v.	to die; to be dead	24
酸	suān	adj.	sour	17
虽然……但是……	suīrán……dànshì……			
		conj.	although; but	6
随便	suíbiàn	adj.	careless	21

孙子	sūnzi	n.	grandson	10
它们	tāmen	pron.	they; them (*referring to things or animals*)	17
态度	tàidu	n.	attitude	9
体检	tǐjiǎn	n.	physical examination	18
天气预报	tiānqì yùbào		weather forcast	2
贴	tiē	v.	to paste; to stick; to glue	14
听话	tīnghuà	adj.	obedient; heed what an elder or superior says	11
听说	tīngshuō		(I) heard (that)	6
停（车）	tíng (chē)	v.	to park	4
停车场	tíngchēchǎng	n.	parking lot	22
通过	tōngguò	v.	to pass	21
退票	tuìpiào		returned ticket	6
完	wán	v.	to finish; to complete	9
往返票	wǎngfǎn piào		return ticket	23
往往	wǎngwǎng	adv.	often; more often than not	15
网上旅游	wǎngshang lǚyóu		travel on the Internet	8
网友	wǎngyǒu	n.	cyber friend; friend met on the Internet	8
味道	wèidao	n.	flavor; taste	17
卫生	wèishēng	adj.	good for health; hygienic	15
闻	wén	v.	to smell	21
问	wèn	v.	to ask	3
卧室	wòshì	n.	bedroom	2
乌龟	wūguī	n.	tortoise	3
污染	wūrǎn	n.	pollution	23
武打	wǔdǎ	n.	acrobatic fighting in Chinese opera or dance	6
武打片	wǔdǎpiàn	n.	martial arts movies	7
误会	wùhuì	v.	to misunderstand; to mistake	8
西安	Xī'ān	n.	Xi'an	5

西方	xīfāng	n.	west	13
习惯	xíguàn	v.	to be accustomed to	4
习惯	xíguàn	n.	habit	15
喜事	xǐshì	n.	a joyful event	13
下（个星期）	xià (ge xīngqī)	n.	next (week)	16
下次	xiàcì		next time	8
下联	xiàlián	n.	second line of the couplet	14
先生	xiānsheng	n.	Mr. / sir	10
羡慕	xiànmù	v.	to envy; to admire	5
香港	Xiānggǎng	n.	Hong Kong	1
香酥鸡	xiāngsū jī	n.	crispy fried chicken	19
香味	xiāngwèi	n.	delicious / fragrant scent	17
想	xiǎng	v.	to want	5
想	xiǎng	v.	to think	16
响	xiǎng	v.	to bang; to make a sound	13
消息	xiāoxi	n.	news	5
小便	xiǎobiàn	v.	to urinate; to pass water	21
小吃店	xiǎochīdiàn	n.	snack bar	4
小梅	Xiǎoméi	n.	Xiaomei	4
小明	Xiǎomíng	n.	Xiaoming	9
小时	xiǎoshí	n.	hour	7
小提琴	xiǎotíqín	n.	violin	7
小心	xiǎoxīn	v.	to mind; to watch out; to be careful	3
小赵	Xiǎo Zhào	n.	Xiao Zhao	22
笑眯眯的	xiàomīmīde		smiling	1
些	xiē	m.	some; a few (a measure word)	11
鞋带	xiédài	n.	lace	12
写	xiě	v.	to write	7
血	xiě	n.	blood	18
辛苦	xīnkǔ	adj.	strenuous; laborious	24
新郎	xīnláng	n.	bridegroom	13
新娘	xīnniáng	n.	bride	13

新鲜	xīnxiān	adj.	fresh	18
星期六	xīngqīliù	n.	Saturday	11
星期天	xīngqītiān	n.	Sunday	9
行人	xíngrén	n.	pedestrian	21
姓	xìng	v.	to be surnamed	1
幸福	xìngfú	adj.	happy	12
性格	xìnggé	n.	personality	14
修	xiū	v.	to repair; to fix	9
许多	xǔduō	adv.	a lot; a great deal	5
学习	xuéxí	v.	to study	9
呀	ya	interj.	*used in place of* 啊 *when the preceding word ends in sound* a, e, i, o *or* ü	5
烟	yān	n.	cigarette; pipe tobacco or smoke	18
严重	yánzhòng	adj.	serious	18
眼睛	yǎnjing	n.	eye	1
眼镜	yǎnjìng	n.	glasses; spectacles	1
演	yǎn	v.	to play; to perform; to act	7
演奏	yǎnzòu	v.	to play (a musical instrument)	7
养	yǎng	v.	to raise; to keep (as a pet)	3
要求	yāoqiú	v.	to ask; to demand; to request	11
咬	yǎo	v.	to bite	3
一……就……	yī……jiù……		no sooner than...; as soon as...; the minute...	2
一定	yídìng	adv.	certainly; surely; definitely (here must)	3
一会儿	yíhuìr		a little while (later); in a minute	6
一样	yíyàng	adj.	the same	23
一边……一边……	yìbiān……yìbiān……	conj.	as... (*used to join two parallel actions*)	2

一起	yìqǐ	adv.	together	6
医院	yīyuàn	n.	hospital	18
颐和园	Yíhéyuán	n.	the Summer Palace	8
已经	yǐjing	adv.	already (*here indicating a perfect aspect*)	5
以为	yǐwéi	v.	to think	8
意思	yìsi	n.	meaning	19
饮食	yǐnshí	n.	diet	15
鹦鹉	yīngwǔ	n.	parrot	3
拥挤	yōngjǐ	adj.	heavy; crowded	21
有名	yǒumíng	adj.	famous; well-known	20
又	yòu	adv.	again (*used for an actual action*)	2
鱼	yú	n.	fish	17
鱼香肉丝	yúxiāng ròusī	n.	fish-flavored shredded pork	17
原谅	yuánliàng	v.	to forgive; to pardon; to excuse	8
原料	yuánliào	n.	raw material; ingredient	17
圆	yuán	adj.	round; chubby	1
远	yuǎn	adj.	far	23
院子	yuànzi	n.	courtyard	4
（乐）曲	(yuè) qǔ	n.	tune; music; musical composition	7
越……越……	yuè…… yuè……		the more... the more; more and more	23
越来越	yuèláiyuè		more and more	6
糟糕	zāogāo	adj.	terrible	21
早	zǎo	adj.	early	22
早餐	zǎocān	n.	breakfast	4
怎么办	zěnme bàn		how (to do)	6
怎样	zěnyàng	pron.	how	19
站	zhàn	v.	to stand	3
占用	zhànyòng	v.	to occupy	22

张	Zhāng		Zhang (surname)	10
照顾	zhàogù	v.	to look after	10
这边	zhèbiān	pron.	this side; here; this way	13
这个	zhège	pron.	this	11
这些	zhèxiē	pron.	these	16
这样	zhèyàng	pron.	like this	20
这样（吧）	zhèyàng (ba)	pron.	like this; so; this way	11
着	zhe	pt.	*added to a verb or an adjective to indicate a continued action or state*	1
整齐	zhěngqí	adj.	neat	2
挣钱	zhèngqián		to earn money	15
只	zhī	m.	*a measure word for boats, birds, some animals, some containers, and one of certain paired things*	3
知道	zhīdào	v.	to know; to have ideas about...	13
知识	zhīshi	n.	knowledge	12
植物	zhíwù	n.	plant	24
只	zhǐ	adv.	just; only	22
纸条	zhǐtiáo	n.	scroll	14
中间	zhōngjiān	n.	middle	15
中药	zhōngyào	n.	Chinese medicine	19
终于	zhōngyú	adv.	finally	22
钟	zhōng	n.	clock	16
种	zhòng	v.	to plant	24
重视	zhòngshì	v.	to attach importance to; to pay attention to	17
重要	zhòngyào	adj.	important	14
周末	zhōumò	n.	weekend	7
住	zhù	v.	firmly; to a stop (*used after a verb as a complement*)	24
抓	zhuā	v.	to take hold with fingers; to clutch	15
抓	zhuā	v.	to catch	24

237

专业	zhuānyè	n.	major	12
庄稼	zhuāngjia	n.	crops	24
庄稼地	zhuāngjiadì	n.	cropland; fields	24
自己	zìjǐ	pron.	oneself	11
自相矛盾	zìxiāng máodùn		contradict oneself	19
走	zǒu	v.	to leave; to go / take away	9
尊敬	zūnjìng	v.	to respect	20
昨天	zuótiān	n.	yesterday	7
作料	zuóliao	n.	condiments; seasonings	17
作文	zuòwén	n.	composition	7
作业	zuòyè	n.	homework	9

（共 456 个）

II Supplementary Vocabulary

Word	*Pinyin*	Translation	Lesson
寻人启事	xúnrén qǐshì	missing person notice	1
身高	shēngāo	height	1
红色上衣	hóngsè shàngyī	red jacket	1
牛仔裤	niúzǎikù	jeans	1
耐克球鞋	nàikè qiúxié	Nike sports shoes	1
背	bēi	carry on one's back	1
现房出租	xiànfáng chūzū	for rent	2
两层楼房	liǎng céng lóufáng	two-story house	2
院子	yuànzi	yard	2
车库	chēkù	garage	2
狮子	shīzi	lion	3
老虎	lǎohǔ	tiger	3
狐狸	húli	fox	3
狼	láng	wolf	3
蛇	shé	snake	3
鹰	yīng	hawk	3
画眉鸟	huàméiniǎo	thrush	3
麻雀	máquè	sparrow	3
乌鸦	wūyā	crow	3
狗	gǒu	dog	3
猫	māo	cat	3
刺猬	cìwei	hedgehog	3
蜘蛛	zhīzhū	spider	3
鱼	yú	fish	3

花儿	huār	flower	13
戴	dài	to wear	13
圣诞快乐	Shèngdàn kuàilè	Merry Christmas!	14
恭贺新禧	gōnghè xīnxǐ	Happy New Year!	14
祝你在新的一年里万事如意	zhù nǐ zài xīn de yì nián li wàn shì rúyì	May all your wishes come true in the next year!	14
感恩节快乐	gǎn'ēnjié kuàilè	Happy Thanksgiving!	14
新年快乐	xīnnián kuàilè	Happy New Year!	14
凉菜	liángcài	cold dishes	15
熏鱼	xūnyú	smoked fish	15
拌海带丝	bàn hǎidàisī	kelp salad	15
白斩鸡	báizhǎnjī	chicken salad	15
热菜	rècài	hot dishes	15
素菜	sùcài	vegetables	15
蚝油生菜	háoyóu shēngcài	lettuce stir-fried with oyster sauce	15
炒扁豆	chǎo biǎndòu	stir-fried hyacinth beans	15
麻婆豆腐	mápó dòufu	pockmarked grandma's tofu	15
荤菜	hūncài	meat	15
松鼠鳜鱼	sōngshǔ guìyú	squirrel sweet and sour cod	15
烤鸭	kǎoyā	roast duck	15
京酱肉丝	jīngjiàng ròusī	shredded pork cooked in soy sauce	15
汤	tāng	soup	15
鸡蛋汤	jīdàn tāng	egg soup	15
酸辣汤	suānlà tāng	hot and sour soup	15
三鲜汤	sānxiān tāng	soup with three delicacies	15

主食	zhǔshí	staple food	15
米饭	mǐfàn	rice	15
饺子	jiǎozi	dumplings	15
包子	bāozi	steamed stuffed bun	15
馒头	mántou	steamed bread	15
饮料	yǐnliào	soft drink	15
葡萄酒	pútáo jiǔ	grape wine	15
香蕉丽人	xiāngjiāo lìrén	banana split	15
柠檬汁	níngméng zhī	electric lemonade	15
奶油汤	nǎiyóu tāng	cream soup	15
蘑菇汤	mógu tāng	mushroom soup	15
洋葱汤	yángcōng tāng	onion soup	15
沙拉	shālā	salad	15
蔬菜沙拉	shūcài shālā	green salad	15
水果沙拉	shuǐguǒ shālā	fruit salad	15
海鸥沙拉	hǎi'ōu shālā	cobb salad	15
热菜	rècài	main course	15
意大利肉酱面	Yìdàlì ròujiàngmiàn	spaghetti	15
酥炸鱼柳	sūzháyúliǔ	crispy fried fish	15
炸牛排	zhá niúpái	fried steaks	15
甜点	tiándiǎn	desserts	15
水果布丁	shuǐguǒ bùdīng	fruit pudding	15
巧克力圣代	qiǎokèlì shèngdài	chocolate sundae	15
香草冰激凌	xiāngcǎo bīngjilíng	vanilla icecream	15
永远	yǒngyuǎn	forever	19
苗条	miáotiao	slim	19
淑女减肥茶	shūnǚ jiǎnféi chá	Lady Diet Tea	19
天然	tiānrán	natural	19

（共 117 个）

III Chinese Characters

Characters		*Pinyin*	Lesson	Characters		*Pinyin*	Lesson
阿	阿	ā	13	厨	廚	chú	2
矮	矮	ǎi	1	处	處	chù	6
按	按	àn	17	传	傳	chuán	14
摆	擺	bǎi	13	单	單	dān	17
搬	搬	bān	1	但	但	dàn	6
办	辦	bàn	22	刀	刀	dāo	15
榜	榜	bǎng	20	倒	倒	dǎo	24
抱	抱	bào	10	得	得	de	1
北	北	běi	5	灯	燈	dēng	13
被	被	bèi	24	订	訂	dìng	23
鞭	鞭	biān	13	懂	懂	dǒng	6
便	便	biàn	20	都	都	dū	8
兵	兵	bīng	5	读	讀	dú	12
博	博	bó	23	盾	盾	dùn	19
布	布	bù	5	躲	躲	duǒ	11
猜	猜	cāi	14	耳	耳	ěr	9
踩	踩	cǎi	3	发	發	fā	24
残	殘	cán	22	罚	罰	fá	22
叉	叉	chā	15	烦	煩	fán	9
差	差	chà	5	返	返	fǎn	23
尝	嘗	cháng	15	房	房	fáng	3
超	超	chāo	4	肺	肺	fèi	18
城	城	chéng	4	福	福	fú	12
承	承	chéng	12	父	父	fù	12
迟	遲	chí	22	附	附	fù	21
臭	臭	chòu	21	赶	趕	gǎn	20

钢	鋼	gāng	7		急	急	jí	22
港	港	gǎng	1		疾	疾	jí	22
格	格	gé	14		挤	擠	jǐ	21
各	各	gè	6		己	己	jǐ	11
更	更	gèng	6		继	繼	jì	12
宫	宫	gōng	8		寄	寄	jì	14
恭	恭	gōng	13		际	際	jì	12
鼓	鼓	gǔ	7		迹	跡	jì	8
顾	顧	gù	10		夹	夾	jiā	15
故	故	gù	8		稼	稼	jià	24
挂	掛	guà	4		间	間	jiān	3
怪	怪	guài	20		简	簡	jiǎn	17
观	觀	guān	5		健	健	jiàn	12
关	關	guān	3		跤	跤	jiāo	3
惯	慣	guàn	4		脚	腳	jiǎo	13
龟	龜	guī	3		洁	潔	jié	21
锅	鍋	guō	17		解	解	jiě	9
孩	孩	hái	10		戒	戒	jiè	18
喊	喊	hǎn	3		尽	盡	jǐn	22
航	航	háng	23		近	近	jìn	23
呼	呼	hū	18		精	精	jīng	20
湖	湖	hú	8		睛	睛	jīng	1
华	華	huá	3		惊	驚	jīng	18
话	話	huà	2		京	京	jīng	5
坏	壞	huài	24		敬	敬	jìng	20
或	或	huò	14		久	久	jiǔ	8
获	獲	huò	24		酒	酒	jiǔ	18
吉	吉	jí	14		剧	劇	jù	6
极	極	jí	7		康	康	kāng	12

苦	苦	kǔ	24	美	美	měi	3
夸	誇	kuā	13	门	門	mén	3
筷	筷	kuài	15	眯	眯	mī	1
昆	昆	kūn	8	密	密	mì	11
困	困	kùn	7	民	民	mín	8
拉	拉	lā	5	末	末	mò	7
蜡	蠟	là	13	慕	慕	mù	5
辣	辣	là	17	恼	惱	nǎo	22
懒	懶	lǎn	9	尼	尼	ní	5
郎	郎	láng	13	腻	膩	nì	19
廊	廊	láng	8	年	年	nián	6
累	纍	lèi	8	娘	娘	niáng	13
理	理	lǐ	9	农	農	nóng	24
鲤	鯉	lǐ	19	哦	哦	ò	2
例	例	lì	12	胖	胖	pàng	1
利	利	lì	14	炮	炮	pào	13
联	聯	lián	14	碰	碰	pèng	22
脸	臉	liǎn	6	批	批	pī	9
梁	梁	liáng	7	评	評	píng	9
粮	糧	liáng	24	婆	婆	pó	17
谅	諒	liàng	8	瀑	瀑	pù	5
了	了	liǎo	11	妻	妻	qī	10
六	六	liù	11	戚	戚	qī	16
笼	籠	lóng	13	奇	奇	qí	20
麻	麻	má	17	齐	齊	qí	2
漫	漫	màn	23	千	千	qiān	14
矛	矛	máo	19	墙	牆	qiáng	13
贸	貿	mào	12	切	切	qiē	17
梅	梅	méi	4	琴	琴	qín	7

轻	輕	qīng	6		孙	孫	sūn	10
求	求	qiú	11		态	態	tài	9
曲	曲	qǔ	7		提	提	tí	7
却	卻	què	8		贴	貼	tiē	14
染	染	rǎn	23		厅	廳	tīng	2
让	讓	ràng	2		停	停	tíng	4
热	熱	rè	24		统	統	tǒng	14
容	容	róng	19		退	退	tuì	6
肉	肉	ròu	19		往	往	wǎng	15
塞	塞	sāi	22		为	爲	wéi	8
社	社	shè	23		味	味	wèi	17
神	神	shén	20		位	位	wèi	22
胜	勝	shèng	8		闻	聞	wén	21
失	失	shī	20		卧	臥	wò	2
诗	詩	shī	12		乌	烏	wū	3
使	使	shǐ	15		污	汙	wū	23
始	始	shǐ	17		鹅	鵝	wǔ	3
市	市	shì	4		误	誤	wù	8
售	售	shòu	6		习	習	xí	4
瘦	瘦	shòu	20		喜	喜	xǐ	13
帅	帥	shuài	2		系	系	xì	17
说	說	shuō	11		鲜	鮮	xiān	18
司	司	sī	12		美	羨	xiàn	5
丝	絲	sī	17		象	象	xiàng	24
死	死	sǐ	10		消	消	xiāo	5
酥	酥	sū	19		笑	笑	xiào	1
酸	酸	suān	17		协	協	xié	24
虽	雖	suī	6		写	寫	xiě	7
随	隨	suí	21		血	血	xiě	18

辛	辛	xīn	24
星	星	xīng	7
姓	姓	xìng	1
幸	幸	xìng	12
性	性	xìng	14
熊	熊	xióng	8
亚	亞	yà	5
呀	呀	ya	5
严	嚴	yán	18
眼	眼	yǎn	1
演	演	yǎn	7
验	驗	yàn	18
养	養	yǎng	3
咬	咬	yǎo	3
要	要	yào	11
夜	夜	yè	11
业	業	yè	9
姨	姨	yí	13
颐	頤	yí	8
议	議	yì	3
易	易	yì	12
鹦	鸚	yīng	3
拥	擁	yōng	21
俑	俑	yǒng	5
于	於	yú	22
预	預	yù	2
原	原	yuán	8
圆	圓	yuán	1
辕	轅	yuán	19

远	遠	yuǎn	23
院	院	yuàn	4
越	越	yuè	23
云	雲	yún	1
占	占	zhàn	22
掌	掌	zhǎng	7
长	長	zhǎng	24
赵	趙	zhào	22
折	折	zhé	23
辙	轍	zhé	19
着	著	zhe	1
整	整	zhěng	2
植	植	zhí	24
纸	紙	zhǐ	2
终	終	zhōng	22
重	重	zhòng	17
周	周	zhōu	7
烛	燭	zhú	13
抓	抓	zhuā	15
专	專	zhuān	12
庄	莊	zhuāng	24
奏	奏	zòu	7
尊	尊	zūn	20
作	作	zuó	17

（共 279 个）